Tous Continents

D0950978

La Grande Quête de

JACOB JOBIN

TOME 1 — L'ÉLU

De la même auteure chez Québec Amérique

Adulte

Pour rallumer les étoiles, coll. Tous Continents, 2006.
Le Pari, coll. Tous Continents, 1999.
Marie-Tempête, coll. Tous Continents, 1997.
Maïna, coll. Tous Continents, 1997.
La Bibliothèque des enfants. Des trésors pour les 0 à 9 ans,
coll. Explorations, 1995.
Du Petit Poucet au Dernier des raisins, coll. Explorations, 1994.

Jeunesse

SÉRIE CHARLOTTE
La Nouvelle Maîtresse, Livre-audio, 2007.
La Fabuleuse Entraîneuse, coll. Bilbo, 2007.
L'Étonnante Concierge, coll. Bilbo, 2005.
Une drôle de ministre, coll. Bilbo, 2001.
Une bien curieuse factrice, coll. Bilbo, 1999.
La Mystérieuse Bibliothécaire, coll. Bilbo, 1997.
La Nouvelle Maîtresse, coll. Bilbo, 1994.

SÉRIE ALEXIS
Alexa Gougougaga, coll. Bilbo, 2005.
Léon Maigrichon, coll. Bilbo, 2000.
Roméo Lebeau, coll. Bilbo, 1999.
Toto la brute, coll. Bilbo, 1998.
Valentine Picotée, coll. Bilbo, 1998.
Marie la chipie, coll. Bilbo, 1997.

SÉRIE MARIE-LUNE
Un hiver de tourmente, coll. Titan, 1998.
Ils dansent dans la tempête, coll. Titan, 1994.
Les grands sapins ne meurent pas, coll. Titan, 1993.

Ta voix dans la nuit, coll. Titan, 2001.
Maïna – Tome II, Au pays de Natak, coll. Titan+, 1997.
Maïna – Tome I, L'Appel des loups, coll. Titan+, 1997.

DOMINIQUE DEMERS

La Grande Quête de

JACOB JOBIN

TOME 1 — L'ÉLU

QUÉBEC AMÉRIQUE

Catalogage avant publication de Bibliothèque et Archives nationales du Québec et Bibliothèque et Archives Canada

Demers, Dominique
La grande quête de Jacob Jobin
Sommaire: t. 1. L'élu.

ISBN 978-2-7644-0606-9 (v. 1)

I. Titre. II. Titre: L'élu.
PS8557.E468G7 2008   C843'.54   C2008-941501-9
PS9557.E468G7 2008

Conseil des Arts   Canada Council
du Canada   for the Arts

Nous reconnaissons l'aide financière du gouvernement du Canada par l'entremise du Programme d'aide au développement de l'industrie de l'édition (PADIÉ) pour nos activités d'édition.

Gouvernement du Québec – Programme de crédit d'impôt pour l'édition de livres – Gestion SODEC.

Les Éditions Québec Amérique bénéficient du programme de subvention globale du Conseil des Arts du Canada. Elles tiennent également à remercier la SODEC pour son appui financier.

Québec Amérique
329, rue de la Commune Ouest, 3e étage
Montréal (Québec) Canada H2Y 2E1
Téléphone : 514 499-3000, télécopieur : 514 499-3010

Dépôt légal : 3e trimestre 2008
Bibliothèque nationale du Québec
Bibliothèque nationale du Canada

Révision linguistique : Annie Pronovost
Mise en pages : André Vallée – Atelier typo Jane
Conception graphique : Louis Beaudoin
Illustration en couverture : Henry Fong – www.henryfong.ca

Tous droits de traduction, de reproduction et d'adaptation réservés

©2008 Éditions Québec Amérique inc.
www.quebec-amerique.com

Imprimé au Canada

À Martine Ménard
Pour l'amitié, les tartes et les rires

LE GRAND VIDE BLEU

— Jaaacooooob ! C'est servi.

Les mots atteignirent son cerveau sans toucher sa conscience. Dans le champ d'étoiles devant lui, des dizaines de vaisseaux intergalactiques explosaient à chaque seconde dans des éclairs de lumières mauves avant de disparaître en poussière. Il avait franchi dix-sept univers, plongeant toujours plus profondément dans les espaces sidéraux, échappant à des centaines de pièges, affrontant les pires cataclysmes. Il naviguait maintenant à l'aube de la victoire, au seuil d'un monde nouveau. Bientôt, il atteindrait le Grand Vide Bleu, l'espace rêvé où il serait enfin à l'abri de toutes les catastrophes. Seul et victorieux.

Un bruit vint le distraire pendant un bref moment. Ses doigts hésitèrent une fraction de seconde. Juste assez pour que trois vaisseaux échappent à ses tirs. Quelqu'un frappait à la porte de sa chambre. Jacob repoussa l'information à vitesse supersonique, fit apparaître une pluie de météorites sur l'écran, découvrit que d'autres vaisseaux s'étaient avancés entre-temps et, le cœur battant, il répliqua d'une volée de tirs, ses doigts pianotant sur la manette, le pouce martelant la touche rouge à folle allure.

— Réponds ou j'entre! lança une voix féminine différente de celle du premier appel.

Il aurait voulu pouvoir neutraliser l'envahisseur d'une simple pression du doigt. Éliminer Jacinthe Jobin de son champ de vision et d'activité. Mais il n'existait pas de manette, ni de levier, ni de bouton pour déloger les intrus dans la vraie vie. Tout comme il n'existait pas de missions aussi bien définies, ni de menaces aussi clairement annoncées que dans les jeux vidéo. C'est pour ça qu'il préférait fréquenter les univers qui s'étalaient sur l'écran devant ses yeux.

« Ignore l'envahisseur. Garde la tête froide. Ne perds surtout pas le contrôle. Reste bien d'attaque. Concentre-toi uniquement sur les formes mouvantes offertes à ton regard. » Une voix secrète lui soufflait ces conseils alors qu'il s'investissait totalement dans sa mission, les yeux rivés sur les vaisseaux clignotants, la main droite obéissant fébrilement aux ordres du cerveau.

La porte s'ouvrit. Jacob serra la mâchoire si fortement qu'une douleur vrilla jusqu'à ses tempes. Un astre inconnu apparut dans le coin supérieur gauche de l'écran. La menace était de taille. Elle pouvait le faire reculer jusqu'au huitième monde. Des semaines de travail ardu pulvérisées en quelques secondes.

— T'as pas compris? T'es sourd ou quoi? C'est servi. On t'attend.

Il y eut un bref moment de grâce. Jacob osa espérer qu'il avait évité le pire. Et puis d'un coup, les vaisseaux fondirent sur lui, l'astre ennemi s'approcha jusqu'à envahir totalement l'écran et tout devint noir.

Jacob était livide. Le pire s'était produit. Effondrement complet. Retour à la case de départ. Il se sentit soudain affreusement seul, terriblement impuissant et furieux contre sa sœur.

Il n'avait jamais été ami avec cette sœur née dix-huit mois avant lui, mais avant que Jacinthe ne commence à fréquenter ses deux copines, Mérédith et Éliane, Jacob ne voyait pas trop d'inconvénients à avoir une sœur. Était-ce l'influence de ces deux filles ou l'éclosion d'une personnalité difficile ? Jacinthe était peu à peu devenue pimbêche. Elle semblait se prendre pour le centre de l'univers et traitait les gens autour d'elle comme s'ils ne lui arrivaient pas à la cheville.

Puis, il y avait eu ce jour fatidique où Éliane s'était moquée de Simon-Pierre et de lui devant une bande d'élèves dans la cour d'école. Cette fois où elle avait méchamment ridiculisé leurs fabuleuses équipées imaginaires dans des royaumes plus fabuleux encore que ceux des jeux électroniques. Et lui, Jacob Jobin, avait été assez stupide pour se laisser atteindre.

— Vas-tu jouer toute ta vie avec ton grand frère à des jeux d'enfants arriérés, Jacob Jobin ? lui avait-elle lancé haut et fort pour que tout le monde entende.

Simon-Pierre n'avait pas assisté à la scène. À quinze ans, il fréquentait l'école des plus grands. C'est Jacob qui lui avait rapporté les paroles d'Éliane. Il avait été surpris de découvrir Simon-Pierre aussi fortement blessé. Il avait toujours l'impression que son frère savait voler plus haut que le commun des mortels. Mais pas cette fois.

Ce jour-là, non seulement Jacinthe avait-elle laissé son amie rire de ses frères sans lever le petit doigt pour la faire taire, mais elle s'était moquée elle aussi. Jacob se souvenait encore de l'écho de son rire dans l'air froid de novembre.

La suite ressemblait à ce qui venait de se produire sur l'écran. Un royaume avait été détruit. Un précieux univers patiemment construit s'était écroulé. Plus rien n'avait été pareil entre Simon-Pierre et lui après cet épisode.

Depuis ce jour, Jacob nourrissait une profonde rancune envers Éliane comme envers sa sœur, mais il découvrit soudain qu'à l'instant même, il les détestait. C'était un sentiment qu'il éprouvait rarement. Son corps tout entier était animé par cette pulsion malveillante et il n'arrivait plus à desserrer les mâchoires.

— Bon. Je vais leur dire que t'es malade. Ça ressemble à ça. Disons… déclara Jacinthe Jobin, d'une voix faussement affirmée.

La subite tension dans l'air, comme le poids extraordinaire du silence, avaient donné à Jacinthe l'envie de déguerpir. Jacob ne la voyait pas – son regard était encore vissé à l'écran, il n'avait pas bougé de sa chaise, sa main droite reposait toujours sur la manette –, mais il l'imaginait. Avec ses longs cheveux blonds. Droits, lisses, parfaits. Ses yeux lourdement maquillés, son sourire fabriqué, sa longue silhouette mince, ses petits seins ronds moulés dans un chandail à la mode.

Jacob se leva, se retourna. Lorsqu'elle aperçut l'expression sur le visage de son frère, Jacinthe Jobin recula d'un pas. Puis elle eut un mouvement vers la porte, mais Jacob fut plus rapide. D'un bond, il sauta devant elle, ferma la porte d'un coup de pied et lui en défendit l'accès en s'y appuyant de tout son corps.

Elle était plus grande que lui, même s'il avait enfin poussé de plusieurs centimètres en un temps record au cours de la dernière année. Pourtant, il avait l'impression de la dominer. Parce qu'elle avait peur. Il l'examina pendant un moment, puis les mots fusèrent. Des mots qui grondaient dans ses entrailles depuis longtemps. Des mots qu'il n'avait jamais prévu prononcer. Parce qu'ils étaient trop lourds, trop dangereux. Mais la digue venait de se rompre, il ne se contrôlait plus.

— Je le sais, cracha-t-il d'une voix blanche. As-tu compris? M'entends-tu? Je sais que tu le savais. Et que tu n'as rien fait. Avoue! Tu avais déjà lu les paroles de sa chanson. *Offrez-moi de l'air et du ciel / Ou je me fais…*

Jacob se tut. Sous les longs cils épaissis par le mascara, le regard de Jacinthe chavira et des larmes inondèrent lentement les iris verts. Le temps semblait suspendu. Jacob eut l'impression de franchir un autre monde, comme dans ses jeux électroniques. Plus rien ne serait jamais pareil. Dans la « vraie vie », on ne pouvait pas faire marche arrière comme devant un écran.

Sa colère l'abandonna d'un coup.

La réaction de sa sœur constituait une confirmation atroce. Il découvrit que quelque part dans les replis de son âme, il avait gardé espoir d'avoir tout faux. C'est pour ça qu'il ne l'avait pas acculée au pied du mur plus tôt. Ses pires doutes se concrétisaient. Jacinthe Jobin savait. Et elle n'avait rien fait.

Et ses parents, alors ? Avaient-ils lu, eux aussi, les paroles de la chanson ? Jacinthe aurait dû les alerter. L'avait-elle fait ? Sinon, n'avaient-ils pas au moins eu des soupçons ? De vagues appréhensions ? Pourquoi n'avaient-ils pas réagi afin de changer le cours des choses ?

Et lui-même, Jacob Jobin, n'aurait-il pas dû deviner ce que vivait Simon-Pierre ? N'aurait-il pas au moins dû lui rester fidèle au lieu de laisser une simple moquerie affecter leur amitié ? Simon-Pierre avait été son meilleur allié, son plus loyal compagnon, son plus parfait complice. Alors pourquoi l'avait-il abandonné ?

Jacob était debout, le dos collé au mur. Sa sœur avait quitté la pièce. La maison était silencieuse. Il ferma les yeux pour mieux laisser affleurer les souvenirs. Un en particulier. Un bref moment que Jacob aurait tant voulu revivre pour empêcher le pire de se produire.

C'était il y a un an. Exactement. Le 28 juin. Ils étaient tous assis autour de la table. Maryline avait préparé une salade d'œufs et de jambon accompagnée de petits pains chauds. Leur mère servait toujours des petits pains cuits au four les soirs de salade. Simon-Pierre farfouillait distraitement dans son assiette du bout de sa fourchette. Jacinthe avait réussi à glisser de minuscules écouteurs dans ses oreilles sans que les parents s'en aperçoivent. Elle souriait en faisant semblant d'écouter la conversation.

Maryline et son mari discutaient des travaux à effectuer sur la maison. Jean-René avait découvert une fissure inquiétante sur le sol de béton du garage. Jacob détestait entendre ses parents parler d'affaires domestiques. Il les trouvait alors, plus que jamais, ennuyeux et ternes. Il avait alors, plus que jamais, l'impression de ne pas appartenir à cette famille. Qu'avait-il en commun avec ses géniteurs ? À part la couleur des yeux et des cheveux ?

Ce jour-là, Jacob avait croisé le regard de son frère aîné pendant que leur père élevait la voix. Ce type d'échange complice faisait partie intégrante de leur quotidien quelques mois plus tôt. Mais après les propos blessants d'Éliane, Jacob s'était éloigné de Simon-Pierre. Bêtement. Stupidement. Comme s'il fallait accepter de perdre le meilleur pour vieillir.

Les deux époux ne s'entendaient pas sur la gravité de la fissure ni sur la manière de la réparer et la discussion prenait une tournure pénible. Simon-Pierre avait offert à son frère un petit sourire extrêmement triste et Jacob avait subitement ressenti, au plus profond de lui-même, l'immense détresse de son grand frère. Il ne l'avait pas comprise ni devinée ; il ne s'agissait pas d'un simple mouvement d'empathie. Il l'avait éprouvée intimement, douloureusement, comme si cette émotion avait été la sienne.

Ce n'était pas la première fois qu'il vivait une telle expérience. Depuis des années, déjà, le phénomène se produisait de temps à autre, mais jamais avec une telle acuité. Jacob avait trouvé des mots pour nommer ce qu'il vivait. Il se disait qu'il possédait une sorte d'œil magique. Et cet œil, étrangement, était logé quelque part dans son ventre. Parfois, pendant un éclair de lucidité extrême, il avait l'impression de voir à travers quelqu'un. Il *ressentait* totalement et parfaitement cette personne. C'était tout à la fois angoissant et fascinant et cela se produisait subitement, sans avertissement, à l'école, à la maison, dans la rue, sans qu'il ait fait quoi que ce soit pour provoquer l'expérience.

Il y a un an, le 28 juin, en cet instant où il avait éprouvé aussi violemment le désarroi de son frère, Jacob avait eu peur de son œil magique pour la première fois. Ce qu'il avait perçu était totalement inattendu. Et bouleversant. Il avait été tellement pris par sa propre petite personne au cours des derniers mois qu'il en avait oublié son grand frère. Il avait remplacé leurs fabuleuses équipées dans les bois par de longues sessions devant un écran à tenter d'accéder à de meilleurs mondes sans se demander ce que vivait Simon-Pierre. Alors, au lieu de soutenir le regard de son frère lorsqu'il lui avait offert ce sourire si désolant, au lieu de lui faire savoir qu'il comprenait et qu'il était solidaire, Jacob avait baissé les yeux en attendant que l'émotion se dissipe.

Après le repas, Simon-Pierre était monté dans sa chambre. Et Jacob ne l'avait plus jamais revu.

L'ARRIVÉE

La pluie tombait drue. Les essuie-glaces balayaient le pare-brise à haute vitesse.

— Vous pouvez régler vous-même la climatisation, proposa le chauffeur.

Jacob sourit. L'homme lui avait adressé la parole d'une voix robotisée, un peu comme celle d'un service d'assistance téléphonique enregistré.

— Merci… Euh… Pouvez-vous me dire… Est-ce que c'est encore loin ?

L'homme ne répondit pas immédiatement. Sans doute avait-il dû consulter son GPS pour obtenir l'information.

— Il nous reste environ cent cinquante kilomètres à parcourir, monsieur. À mon avis, il faudrait compter au moins deux heures, car la dernière portion du trajet est moins facilement praticable. Nous devrons quitter l'autoroute pour emprunter un chemin étroit et en lacets dont la chaussée n'est pas asphaltée.

Jacob le remercia poliment en songeant que c'était facile d'être poli avec quelqu'un qui vous traitait courtoisement et sans condescendance. Pour se distraire, il entreprit d'explorer le tableau de contrôle à côté de lui. C'était la première fois qu'il voyageait en limousine. Il découvrit le bouton de réglage de la climatisation et l'ajusta à pleine puissance. Ça faisait un bruit d'enfer et il eut rapidement l'impression d'être assis dans un frigo. Il le remit à puissance minimale, poussa un soupir d'aise, se cala dans son siège extraordinairement confortable – un véritable fauteuil! –, ferma les yeux et dressa mentalement la liste de ce qu'il avait fourré dans sa valise et son sac à dos, histoire de s'assurer qu'il n'avait rien oublié de trop important. Il avait pris sa trousse de toilette, des vêtements en quantité suffisante, son lecteur de musique – le plus récent modèle, pour lequel il avait vidé son compte de banque –, sa console de jeu, six jeux, deux bandes dessinées…

« Ça ira », se répéta-t-il silencieusement pour la centième fois, sans réussir à repousser son appréhension. Il s'était produit tant d'événements étranges depuis la veille. C'était un peu comme si, en osant dire à sa sœur ce qu'il lui avait dit, il avait appuyé sur un mécanisme secret déclenchant une suite d'incidents étonnants.

Après le départ de sa sœur, il était resté dans sa chambre. Qu'avait raconté Jacinthe aux parents? Sûrement un truc mélo, du genre « Jacob-pense-à-Simon-Pierre-et-il-est-triste », puisque ses parents ne l'avaient plus réclamé à table. Un peu plus tard, sa mère lui avait monté un sandwich et elle s'était assise un moment à côté de lui sans oser le déranger, parce qu'il avait recommencé son expédition intergalactique vers le Grand Vide Bleu et semblait très absorbé par sa mission. Avant de repartir, elle avait poussé trois soupirs – en crescendo! – histoire de s'assurer que son fils l'avait bien entendue et qu'il avait compris qu'elle était une mère-attentive-exaspérée-qui-souffre-de-la-froideur-de-son-enfant. En fin de soirée, ses deux parents étaient venus lui souhaiter bonne nuit et l'embrasser. Jacob les avait laissés faire sans quitter des yeux son écran de jeu.

Normalement, Maryline et Jean-René n'étaient pas aussi affectueux et attentionnés, mais les circonstances étaient particulières. Outre le fait qu'il s'agissait d'une date anniversaire – bien que personne n'ait prononcé le nom de Simon-Pierre durant toute la journée –, le couple partait en croisière en Alaska aux premières heures le lendemain. De là le comportement un peu inhabituel des parents. Sans doute se sentaient-ils coupables de prendre congé de leur fils pour trois semaines. Un mois plus tôt, un thérapeute recommandé par leurs meilleurs amis avait expliqué que « Jacob éprouvait depuis longtemps un sentiment d'aliénation au sein de la cellule familiale, sentiment exacerbé par la disparition de son frère, ce qui expliquait, en partie du moins, son attitude asociale ». Jacob se souvenait parfaitement de chaque mot ; il avait d'ailleurs cherché la signification des mots « aliénation » et « asocial » dans le dictionnaire.

Jacob se reconnaissait assez bien dans ce diagnostic, même s'il trouvait le mot asocial un peu fort. Il n'avait pas un comportement délinquant : il aimait être seul, c'est tout. Enfin, seul avec des manettes et un écran. Ses performances scolaires étaient peu glorieuses. Il trouvait les cours terriblement somnifères et à part les rares moments passés avec Éloi, son seul véritable ami, Jacob préférait ne pas se mêler au troupeau des élèves. Il endurait l'école comme un mal nécessaire et fournissait juste assez d'efforts pour obtenir la note de passage.

Les bulletins de Jacob rendaient sa mère folle, surtout depuis qu'à la demande des deux parents, un psychologue avait fait passer toute une batterie de tests à Jacob. Résultat ? Les examens révélaient « une intelligence exceptionnelle, aussi vive que particulière » et un quotient intellectuel dont Jacob avait oublié la mesure, mais qui avait fortement impressionné ses parents.

Si Jacob jugeait le diagnostic assez juste, il n'en refusait pas moins le traitement. Des séances de thérapie ! Non merci. Une heure par semaine enfermé dans une petite pièce à parler de lui à un étranger. C'était totalement idiot. D'ailleurs, il n'avait pas besoin d'aide. Il n'était pas malade, ni dérangé, ni même dérangeant. Il souhaitait simplement qu'on lui fiche la paix.

Un sourire éclaira le visage de Jacob. Heureusement que ses parents n'étaient pas au courant de tout ce qui s'était produit depuis leur départ pour l'aéroport ! La vie était drôlement faite, quand même. Sa mère, surtout, pensait maîtriser parfaitement la situation et voilà que tous ses plans soigneusement élaborés volaient en éclats.

Maryline et Jean-René avaient quitté la maison à cinq heures du matin pour attraper un vol en direction de Vancouver, d'où partirait le navire de croisière. Jacob et Jacinthe avaient pour consigne d'éviter de s'entre-tuer en attendant l'arrivée de monsieur Laplante, le père de Mérédith, l'inséparable amie de Jacinthe, chez qui sa sœur devait séjourner pendant la durée du voyage des parents. Stéphane Laplante, qui jouait au tennis au même centre sportif que Jean-René Jobin, avait courtoisement offert de conduire Jacob à son camp de vacances. Jean-René avait accepté avec force remerciements, sachant fort bien que Stéphane Laplante mandaterait son chauffeur. Laplante, grand patron de Proxima, une compagnie de produits pharmaceutiques, était l'homme le plus riche – et sans doute aussi le plus puissant – de Westville. Les deux rejetons Jobin étaient donc dûment casés pour la durée de l'escapade des parents. Mais bien sûr, personne n'avait tenu compte du fait que Jacob n'avait pas du tout – mais vraiment pas du tout – envie de fréquenter un camp de vacances.

À 6 h 10, le téléphone avait sonné. Longtemps. C'est Jacob qui avait décroché, l'esprit encore embué de sommeil. Les premières minutes, il avait cru rêver. C'était trop incroyable et sans doute aussi trop beau pour être vrai. Un incendie s'était déclaré pendant la nuit dans le chalet principal du Camp des Quatre Vents où il devait normalement être prisonnier durant les trois prochaines semaines. Le feu s'était propagé à une vitesse affolante, si bien que les flammes avaient ravagé deux bâtiments avant même l'arrivée des pompiers. Le directeur du Camp des Quatre Vents était dans l'obligation de suspendre toute activité pour une période indéterminée.

Jacinthe avait fini par se lever pendant que Jacob obtenait ces informations d'un des jeunes moniteurs chargés d'avertir les familles des campeurs avant qu'ils ne se mettent en route. La sœur de Jacob avait tenté de rejoindre leurs parents sur le cellulaire, mais sans succès. Alors, elle avait attendu un peu, histoire de ne pas réveiller toute la maisonnée Laplante inutilement, puis elle avait communiqué avec la mère de Mérédith. C'est là que l'histoire avait tourné au cauchemar.

Les parents de Mérédith étaient arrivés sur-le-champ. Et ils n'étaient manifestement pas contents. En gros, ils acceptaient volontiers de s'occuper de Jacinthe pendant trois semaines, puisque c'était la volonté de Mérédith, leur princesse adorée. Mais ils n'avaient jamais songé devoir s'embarrasser du jeune frère. Stéphane Laplante et son épouse savaient très bien que leur fille Mérédith ne supportait pas Jacob Jobin. Les mots qu'elle employait pour le décrire allaient de « parfaitement débile » à « tout à fait détraqué ». Rien qui puisse inciter à lui offrir l'hospitalité.

C'était pourtant la seule solution qui semblait s'offrir. Jacob n'avait ni grands-parents, ni amis chez qui séjourner en cas d'urgence. Il aurait accepté de se réfugier chez Éloi, surtout qu'il trouvait ses parents sympathiques, mais Éloi était parti en camping avec sa famille.

— Il n'y a vraiment personne qui pourrait vous dépanner ? demanda Stéphane Laplante en s'adressant davantage à Jacinthe, comme si elle était la seule interlocutrice valable.

Le ton était cordial, mais l'exaspération de l'homme d'affaires habitué à tout régler rapidement était tellement flagrante que Jacinthe baissa piteusement la tête. Jacob inspira profondément et s'efforça de paraître calme, mais il avait du mal à camoufler ce qu'il éprouvait. Il se sentait humilié, comme s'il n'était qu'un fardeau indésirable ou un insecte nuisible. Il aurait donné n'importe quoi pour les forcer tous à débarrasser les lieux ! D'ailleurs, il pouvait très bien rester seul à la maison. Le garde-manger était rempli de sachets et de boîtes de conserve, le congélateur débordait de plats surgelés, les trois téléviseurs étaient fonctionnels, les deux systèmes de son aussi. Par ailleurs, il savait comment faire fonctionner le lave-vaisselle et la lessiveuse. Il avait tout ce dont il avait besoin pour survivre pendant trois semaines. Et le Grand Vide Bleu l'attendait !

Jacob contempla un moment l'idée de leur suggérer cet arrangement, mais Jacinthe se moquerait de lui et Mérédith aussi. Deux grandes pestes sans cœur ni cervelle. Voilà ce qu'il pensait d'elles. Et c'est avec elles qu'il risquait de passer les trois prochaines semaines s'il ne trouvait pas une solution. Et vite.

Un éclair de génie traversa soudain sa conscience.

— Je l'ai ! s'exclama-t-il tout haut. Non mais… vraiment ! C'est idiot ! J'aurais dû y penser avant. Je n'ai qu'à visiter mon parrain.

Jacinthe faillit avaler sa langue. Mais, comme l'avait prévu Jacob, elle n'osa pas dire tout haut que c'était insensé. À l'instar de ses parents, Jacinthe tenait beaucoup à protéger leur précieuse réputation familiale déjà fortement ébranlée par ce qu'ils avaient pudiquement nommé « le drame de Simon-Pierre ». Jacinthe n'avait donc pas envie d'expliquer aux Laplante que l'oncle en question, le frère aîné de leur père, avait été jugé non fréquentable par leur mère bien des années plus tôt. Jacob n'avait d'ailleurs aucun souvenir de l'avoir déjà vu et au 673, rue Rousseau, à Westville, on parlait bien rarement de lui. Pourtant, à chacun de ses anniversaires, Jacob recevait un chèque, livré sans carte, sans mot, dans une simple enveloppe.

Jacob se rappela qu'il venait d'en recevoir un qu'il ne pouvait malheureusement pas encaisser avant le jour de son anniversaire. Il avait laissé l'enveloppe sur sa table de chevet. Or, dans le coin supérieur gauche du chèque figuraient le nom de son parrain, son adresse et son numéro de téléphone. Jacob courut chercher le précieux morceau de papier et entreprit de téléphoner lui-même pendant que Jacinthe répondait vaguement aux questions des parents de Mérédith sur l'oncle en question.

À la deuxième sonnerie, Jacob appuya discrètement sur une touche du combiné pour rompre la communication, mais il garda l'oreille collée au récepteur et commença à improviser une conversation bidon pour rassurer tout le monde.

— Alors ça va ? Oui ? Vous êtes bien sûr que ça ne vous dérangera pas ? Tant mieux ! Bon, d'accord… Moi aussi, j'ai hâte de vous voir, dit-il avant de raccrocher.

Il n'avait jamais eu l'intention de parler directement à son parrain. En effet, comment pouvait-il être certain que son oncle accepterait de le recevoir ? Étant données les circonstances, mieux valait jouer le tout pour le tout et se rendre sur place. Théodore Jobin ne pourrait quand même pas renvoyer son filleul de douze ans temporairement orphelin. Les parrains ne sont-ils pas par définition des substituts des parents ?

Jacob offrit un large sourire à sa sœur, puis aux parents de Mérédith.

— Si vous pouviez me conduire, mon parrain apprécierait énormément, déclara Jacob d'un ton très assuré. Il s'excuse de ne pas pouvoir venir me chercher et vous remercie de votre aide.

Stéphane Laplante laissa échapper un soupir de soulagement. Quant à Jacinthe, elle attendit qu'ils se retrouvent seuls pour livrer son opinion.

— T'es con, Jacob Jobin, lança-t-elle d'une voix méprisante. T'as aucune idée de ce que tu fais. Tu ne sais même pas dans quoi tu t'embarques ! Eh bien, tant pis pour toi.

— Dernier arrêt, tout le monde descend, répéta le chauffeur pour la deuxième fois.

Jacob ouvrit les yeux, surprit d'entendre cette voix. Où diable était-il ? D'un coup, il se rappela. La limousine, le voyage, le parrain…

Pendant son sommeil, la pluie avait cessé et le soir s'était installé. Ils avaient quitté Westville en fin d'après-midi seulement, le père de Mérédith n'ayant pas pu libérer son chauffeur plus tôt. La limousine était maintenant stationnée en pleine forêt. Jacob se retourna pour examiner les lieux par la vitre arrière. La route menant jusque là n'était qu'un étroit chemin privé qui s'enfonçait sous les arbres aussi hauts qu'immenses. C'était une forêt très dense. Les branches des arbres se rejoignaient, tissant un couvert qui semblait destiné à isoler la propriété de Théodore Jobin du reste du monde.

Jacob sortit de la voiture pendant que le chauffeur prenait ses bagages dans le coffre. La maison de son parrain était un vaste manoir d'allure ancienne qui semblait abandonné. Haut et imposant avec ses murs de pierre troués de nombreuses fenêtres à volets et ses ornementations de bois, il avait sûrement déjà suscité l'envie, mais il accusait maintenant durement son âge faute de soins suffisants. Les joints s'effritaient entre les pierres, la peinture pelait sur les boiseries, des carreaux de fenêtres étaient brisés, les planches disjointes de la véranda craquaient sous les pas et les rares fleurs vivaces qui émergeaient timidement des plates-bandes étaient étouffées par un fouillis d'herbes folles.

Jacob remercia le chauffeur et refusa son aide pour porter les bagages. Il devait absolument être seul lorsque la porte s'ouvrirait, car il n'avait aucune idée du type d'accueil qui lui serait réservé. Il avança donc vers le manoir en déployant d'héroïques efforts pour ne pas laisser voir qu'il avait du mal à traîner sa lourde valise.

La porte s'ouvrit avant même qu'il ait touché au heurtoir.

— Jacob! Enfin! s'écria une vieille dame rondelette, les yeux brillants et les joues rosies par l'excitation, à croire qu'elle l'attendait depuis toujours.

LE TABLEAU

— Vous… vous saviez que je viendrais ? demanda Jacob alors que la porte se refermait derrière lui.

Pour toute réponse, il dut se satisfaire d'un vaste sourire, comme si la vieille dame, tout à sa joie, n'avait rien entendu.

Jacob était fasciné par cette femme qui le contemplait avec tant de plaisir et de bienveillance. Un souvenir afflua. Tout jeune, il avait fait un *scrapbook* à l'école. Il avait collé un dessin de mouton et sous l'image, il avait inscrit : « mouton ». Puis, l'institutrice les avait invités à ne pas seulement représenter des objets et des animaux familiers. Alors, il avait collé l'image d'un petit garçon qui tenait la main de son papa et sautait dans une flaque d'eau en riant. Sous l'image, il avait écrit : « joie ». Il songeait maintenant que sous la photo de cette mystérieuse vieille dame, il aurait écrit : « bonté ». Elle semblait débordante de générosité et absolument incapable de malice. Jacob avait rarement ressenti autant de confiance spontanée envers quelqu'un.

Elle lui rappelait un personnage de Disney. Oui, c'est ça… reconnut-il. La fée-marraine dans le film de Cendrillon !

Il ne l'avait pas visionné depuis des années, mais sa sœur l'avait fait jouer tellement souvent à une certaine époque qu'il s'en souvenait encore.

— Je m'appelle Léonie, annonça la fée-marraine sans se laisser troubler par le regard scrutateur de Jacob, qui l'inspectait un peu effrontément de la tête aux pieds. Nous savions que tu viendrais. Un jour… Alors, tu restes avec nous combien de temps ?

— Trois semaines… je crois, répondit Jacob en se laissant une petite marge de sécurité, au cas où l'oncle s'avérerait infect, bien qu'il n'eût pas vraiment d'autres possibilités de séjour.

— Formidable ! Je vais te faire visiter la maison et en même temps, tu pourras choisir ta chambre. Ton oncle ne pourra pas te recevoir aujourd'hui… Peut-être demain…

Jacob accusa le coup. Son oncle, ce parrain qui lui expédiait des chèques depuis toujours et qu'il ne se souvenait même pas d'avoir déjà vu, ne le recevrait pas aujourd'hui et il n'était pas sûr de pouvoir le faire demain ? Quel accueil ! Mais quand avait-il décidé cela ? À moins que…

— Est-il malade ? demanda Jacob.

Léonie éclata d'un petit rire joyeux.

— Hum… C'est une excellente question. Disons qu'il n'est pas plus malade que d'habitude. Par contre, tu ne le savais peut-être pas, mais monsieur Théodore souffre d'une grave infirmité.

La réaction de Jacob confirma à Léonie que le filleul n'en savait rien, effectivement. Elle poursuivit :

— Un accident de voiture. Il n'était aucunement responsable ! s'empressa-t-elle d'ajouter, avec l'air de deviner à quoi songeait Jacob, qui venait de se rappeler certains propos de sa mère suggérant que son parrain appréciait un peu trop l'alcool. Il a complètement perdu l'usage de ses jambes et son système immunitaire est resté extrêmement fragile, précisa Léonie.

Quelques secondes s'écoulèrent, durant lesquelles Jacob apprivoisa ces informations alors que Léonie se laissait porter par des souvenirs. Puis, la vieille dame chassa d'un coup de main vigoureux des miettes invisibles sur son tablier et offrit un large sourire à Jacob.

— Laisse ta valise, on viendra la chercher plus tard. Suis-moi… l'invita-t-elle gaiement.

Léonie prit les devants d'un pas étonnamment énergique pour une femme aussi corpulente.

— Ici, à gauche, ce sont ses quartiers, annonça-t-elle.

À quelques pas du vestibule, de lourdes draperies de velours dissimulaient un large pan du couloir qui traversait le rez-de-chaussée. Léonie repoussa délicatement un panneau de tissu et découvrit ainsi de larges portes vitrées, elles-mêmes munies de rideaux. « Les fameux quartiers du vieux grincheux ! » pensa Jacob. Un peu plus loin, de l'autre côté du corridor, une ouverture en arche menait à la cuisine. En y entrant, Jacob songea que c'est là qu'il aurait souhaité installer ses propres quartiers. La pièce était vaste et lumineuse. Un grand foyer répandait une douce chaleur. L'air sentait bon le gâteau et la confiture de framboises, le lait chaud et le miel. Quelque chose mijotait sur un rond de l'imposante cuisinière. On aurait presque dit une cuisine de restaurant. Pour nourrir qui ? Théodore et Léonie ? À moins que la maison ne serve d'auberge ? Encore une fois, Léonie sembla deviner ses pensées.

— Je cuisine pour les pauvres. C'est mon plus grand passe-temps ! Deux fois par semaine, mon cousin vient cueillir mes petits plats pour les distribuer dans un quartier très défavorisé de la ville voisine. D'autres femmes font pareil et quelques hommes aussi, mais c'est moi la plus productive du groupe. J'adore nourrir les humains !

Pendant qu'ils quittaient la cuisine, Jacob réfléchit à l'étrangeté de ce dernier propos. Comme s'il n'y avait pas que des humains dans la vie de Léonie... Elle trotta jusqu'au bout du corridor du rez-de-chaussée, en désignant en route la salle à manger, et s'arrêta devant une porte à gauche.

— Bon. Écoute-moi bien, déclara-t-elle d'un ton ferme. Tu peux te promener partout dans cette maison. C'est comme chez toi. À deux exceptions près. Un : les quartiers de ton oncle. Il est très jaloux de son espace, alors ne t'y aventure pas sans y être invité. Tu le rencontreras et pourras t'entretenir avec lui dans les lieux communs. Deux : cette porte. Elle mène au sous-sol et ton oncle n'y admet personne. C'est très important. Tu dois absolument respecter cet interdit.

La voix de Léonie avait changé et elle observait maintenant Jacob avec beaucoup d'insistance. Son regard était presque suppliant. Jacob ressentit une crampe dans son ventre, suivie d'un léger vertige. Cette mystérieuse interdiction le heurtait profondément, sans qu'il put comprendre pourquoi. Qu'est-ce qui se cachait derrière cette porte ? Jacob sut dès ce moment qu'il aurait beaucoup de difficulté à lutter contre le pouvoir d'attraction de ce lieu défendu.

— Viens ! le pressa Léonie en pénétrant dans une pièce de l'autre côté du couloir.

C'était la bibliothèque. Jacob n'avait jamais rien vu de tel. La pièce était immense et totalement remplie de livres. Du plancher au plafond ! Et le plafond était tellement haut qu'il fallait une échelle pour accéder aux derniers rayons. Un seul espace était resté libre : le mur du foyer. Jacob s'en approcha. Un feu crépitait dans l'âtre et au-dessus, il y avait…

Jacob poussa un cri de stupéfaction. C'était trop étrange, trop incompréhensible. Un tableau était accroché au-dessus du foyer, plus précisément un portrait. Un portrait de lui-même !

Tout était identique. Les cheveux châtains, coupés court, les yeux noisette, le nez fin, le menton décidé, les fossettes qu'il détestait tant parce qu'elles le rajeunissaient trop les rares fois où il souriait. Il portait sa fameuse chemise blanche que sa mère adorait. Et cet air, cette allure ! Jacob Jobin tout craché. Crâneur – sans le connaître on dirait presque un dur – et pourtant si vulnérable. Cette fragilité était inscrite dans le regard qui pétillait d'intelligence, mais laissait aussi percer une certaine tristesse.

Léonie s'était approchée.

— Tu lui ressembles beaucoup, n'est-ce pas?

— Vous voulez dire que… ce n'est pas moi?

Elle rigola doucement. On aurait dit un roucoulement d'oiseau.

— En effet. Ce n'est pas toi, mais ton parrain. Il avait presque treize ans. Comme toi…

Pendant un moment, Jacob n'osa rien dire. Tout ce qui lui était arrivé depuis son réveil ce matin-là était tellement étrange! Il eut soudain l'impression de manquer de repères. Il aurait souhaité être chez lui, dans sa chambre, devant l'écran de son téléviseur, une manette sous la main, occupé à subir héroïquement les épreuves et à relever bravement les défis pour accéder aux différents mondes jusqu'au Grand Vide Bleu. Là, au moins, il se sentait à sa place et il savait à peu près à quoi s'attendre.

— Je n'ai pas vu… Euh… Où est la télé? demanda-t-il un peu abruptement.

— Quelle télé? répondit Léonie, comme s'il venait de réclamer un objet exotique, un bâton de chaman ou une pointe de flèche issue de l'ère de glace.

Jacob sentit l'appréhension monter en lui. Non. C'était impossible. Quand même! Son oncle était tout sauf pauvre, même si sa maison était un peu délabrée. Il possédait sûrement au moins un poste de télévision.

— Vous… vous…. Où avez-vous installé la télé?

La réponse tomba comme une lame de guillotine.

— Nous n'avons pas de télévision. De toute manière, nous sommes tellement loin de tout… la réception serait atroce, non? ajouta-t-elle comme pour le consoler.

— Mais je me fous de la réception! répliqua Jacob, dépité. J'ai juste besoin de l'écran pour mes jeux électroniques. Vous avez sûrement une télé quelque part. Dans la cave… ou au grenier.

— Non. Nous n'en avons pas, déclara Léonie d'un ton calme, presque doux, et pourtant catégorique.

L'exaspération de Jacob crispa son visage et il serra les poings si fort que ses jointures blanchirent. Pas de télé! Cette fois, c'était trop. Pendant que sa sœur s'installait comme une princesse dans une maison où il y avait sûrement des écrans géants dans toutes les pièces, il était confiné dans un vieux manoir désert avec un oncle invisible et une bonne femme qui semblait surgir d'une autre planète. Il avait presque l'impression que ce fichu parrain dissimulé derrière ses portes et ses rideaux le faisait exprès. «Espèce de vieux gribou, songea Jacob. Tu peux bien t'enfermer. Infirme et pas de télé. Faut le faire!»

— C'est con, quand même! lâcha-t-il finalement. Super con, même. Pensez-y… Mettez-vous à ma place… Si j'avais su, j'aurais au moins pris mon jeu portable. Mais là, de toute façon, c'est le Grand Vide qui compte. C'est un jeu… Je veux le finir. Ça ne peut pas attendre trois semaines. Il faut trouver une solution. Un voisin, peut-être…

Léonie ne dit rien. Elle l'observait sans sourciller et Jacob eut l'impression que ses petits yeux vifs le transperçaient. Elle paraissait peu sensible à sa détresse. Elle ne comprenait visiblement pas l'ampleur du désastre. Elle ne savait pas ce que l'absence d'écran représentait pour lui. Le vide ! Pas le Grand Vide Bleu. Le grand vide affreux. L'ennui, la solitude, la désolation.

Jacob perçut soudain un peu de pitié dans son regard. Alors, il fut pris d'un élan de colère, un peu comme la veille devant sa sœur. À croire qu'il libérait ces jours-ci des pulsions trop longtemps enfouies et ravageuses. Il avait envie de foutre le bordel, de vider toutes ces étagères, d'envoyer valser tous ces stupides livres par terre.

Jacob Jobin était en rage contre l'univers. L'absence de télé, c'était juste la dernière goutte. Celle qui fait tout déborder. Sa fureur n'était pas seulement dirigée contre ce vieux parrain trop stupide pour s'acheter une télévision. Il en voulait soudain au monde entier. À ses parents, parce qu'ils étaient mornes et éteints, parce qu'il avait peur de leur ressembler et parce qu'il ne pouvait pas compter sur eux. À sa sœur, parce qu'elle était dangereusement superficielle, horriblement égoïste et assez hypocrite pour faire croire aux parents qu'elle était solidaire de leur vie plate et rangée tout en dissimulant ses frasques avec les copines sous des montagnes de mensonges.

À son frère aîné, surtout, il en voulait. Parce qu'il l'avait quitté. Parce qu'avant son départ, Jacob savait que, quoi qu'il arrive, et même malgré les distances qu'il avait prises, il pouvait compter sur lui. Simon-Pierre restait un phare, une étoile dans la nuit trop noire. Depuis qu'il avait disparu, Jacob se sentait perdu.

Ils avaient été si proches. Jacob avait toujours apprécié l'authenticité et la douce folie de son frère. Simon-Pierre n'avait jamais eu envie de jouer le grand jeu comme sa sœur. Obéir à des consignes stupides à l'école. Sourire à des individus qu'il n'aimait pas, puis dire des horreurs dans leur dos. Se tuer à courir après un ballon dans une ligue idiote où chacun rêve toujours d'être meilleur que ses coéquipiers. Avancer dans la vie sans trop savoir pourquoi en s'efforçant de bien paraître et de ne pas faire de vagues.

Simon-Pierre lui avait enseigné à tracer son propre chemin sans trop se faire remarquer et à exercer sans grand bruit son droit de refus. Même après leur éloignement, après qu'Éliane s'était moquée d'eux et que la moitié de l'école avait ri de lui pendant des semaines, Jacob avait continué d'avancer en marge en s'efforçant de ne pas attirer l'attention.

Le départ de Simon-Pierre avait rompu son fragile équilibre. Jacob était devenu plus ouvertement marginal, plus clairement contestataire. Il ne voulait surtout pas contribuer à redorer l'honneur familial terni par le départ dramatique du fils aîné en jouant à l'adolescent épanoui et performant. Non. Il préférait sa démission, son carnet de notes catastrophique, les jugements alarmants du psy, les doléances des profs, les plaintes de Jacinthe et de ses amies. Tout comme il préférait fréquenter les créatures fantastiques qu'il avait pour mission d'anéantir avec sa manette plutôt que les membres de sa famille.

La fureur de Jacob finit par tomber sans qu'il ait fait de ravages. Il se sentait seulement épuisé et triste. Léonie quitta tranquillement la bibliothèque et Jacob la suivit. Ils gravirent l'escalier menant à l'étage et firent rapidement le tour des six chambres. Jacob se fichait bien de dormir dans l'une ou dans l'autre. Il allait choisir la dernière – pourquoi pas ? – lorsqu'il avisa un autre escalier, très abrupt, juste à côté.

— Ça mène au grenier, expliqua Léonie qui avait suivi son regard. Une vraie caverne d'Ali Baba. Des tas de meubles inutiles et toutes sortes de vieilleries dont il faudrait bien se débarrasser un jour.

— Il y a un lit ?

— Trois matelas mais pas de sommier, je crois.

— Ça ira.

Léonie lui offrit son aide pour aménager les lieux, mais il refusa. Elle lui semblait bien trop vieille pour monter jusque-là et puis, lui aussi avait envie de posséder ses quartiers privés avec interdiction d'entrer !

Une demi-heure plus tard, Jacob était installé au grenier. Il avait superposé deux matelas fatigués, étendu des draps et traîné un gros coffre près de son lit pour lui servir de table de chevet. Jacob estima alors que son refuge n'avait rien de sinistre. Au contraire ! Le tas de vieilleries annoncé par Léonie avait quelque chose de réconfortant, peut-être parce que tous ces objets avaient appartenu à des gens, participé à des vies.

Une première exploration permit à Jacob de faire un rapide inventaire : trois chaises défoncées, une vieille trottinette, une machine à coudre dissimulée dans une table, une berceuse, deux commodes et plusieurs coffres remplis de vêtements démodés qui empestaient un produit infect,

une machine à écrire qui avait sûrement valeur d'anti-
quité, un cerf-volant troué, deux flûtes, un harmonica,
plusieurs pans de rideaux aux motifs anciens, une lampe
à huile, un nombre effarant de chapeaux rangés dans de
drôles de boîtes de carton et un très vieux lapin de peluche
dont l'oreille droite pendouillait tristement.

Peu après qu'il eut terminé son installation, Léonie
invita Jacob à descendre pour le repas du soir, mais il
déclina son offre. Le menu annoncé était alléchant – un pâté
de viande au fumet étourdissant avec des pommes de terre
sucrées et un gâteau roulé à la confiture de framboise –,
mais Jacob décida qu'il se sentait clairement et franchement asocial. Il se promit de glaner dans sa trousse d'urgence
constituée de tablettes de chocolat au caramel et de sacs
de croustilles épicées après avoir branché son lecteur de
musique. Mais sitôt étendu sur son lit de fortune, Jacob
oublia sa faim tant sa fatigue était grande. Par la fenêtre
juste au-dessus de sa tête, il découvrit une lune pleine et
des myriades d'étoiles. Il avait rarement contemplé tant
de ciel.

Pour la première fois de sa courte vie, Jacob Jobin
s'endormit bercé par le silence et veillé par les astres.

FANDOR

L'aube venait tout juste de poindre lorsque Jacob s'éveilla en sursaut. Il ne sut pas tout de suite ce qui l'avait tiré de son sommeil. Autour de lui, le silence était complet. Il mit moins de quelques secondes pour revoir en accéléré les événements de la veille et comprendre ce qu'il fabriquait dans ce grenier. En étirant le cou, il découvrit un ciel grandiose incendié de gerbes orangées. Le spectacle lui parut tellement irréel qu'il se frotta les yeux pour s'assurer qu'il ne rêvait pas.

Puis, un bruit insolite lui permit de comprendre ce qui l'avait éveillé : la faim. Des gargouillements émanaient de son estomac. Il se leva pour constater qu'il s'était endormi tout habillé et descendit l'escalier du grenier, puis celui du deuxième à pas de loup. Heureusement, il n'avait pas à longer le couloir devant les quartiers de l'oncle Théodore pour accéder à la cuisine. Et Léonie ? Où dormait-elle ? Après une rapide révision mentale de l'architecture des lieux, Jacob conclut que la vieille dame devait dormir dans une pièce attenante à la cuisine. Il redoubla donc de prudence.

Le gâteau de la veille n'avait pas été réfrigéré. Jacob le trouva sur le vaste plan de travail de bois autour duquel

Léonie devait passer le plus clair de son temps. Il s'en servit une tranche épaisse, qu'il dévora en trois bouchées, puis il ouvrit la porte du frigo et but à même le carton de longues gorgées de lait frais. Il constata alors qu'il était maintenant trop bien éveillé pour retourner au grenier. Il eut envie de revoir le tableau qui l'avait tant impressionné la veille.

Un feu crépitait dans l'âtre de la bibliothèque. Pourtant, toute la maisonnée semblait parfaitement endormie. Jacob s'installa sur le canapé devant le foyer et releva la tête pour étudier le portrait de son oncle sosie. Le plus étonnant, se dit-il au bout d'un moment, c'est que le jeune homme en question ne lui ressemblait pas seulement physiquement. En observant attentivement le tableau, Jacob pouvait capter les émotions du sujet. L'artiste qui avait peint le portrait avait réussi à saisir l'essence de la personne. Et Jacob avait l'impression que cette personne, c'était lui.

Il se leva pour s'arracher à sa contemplation et flâna devant les rayonnages. Il fit ainsi une étrange découverte. Tous les livres rassemblés dans cette pièce partageaient une même thématique : le merveilleux. Ainsi, des rayons complets abritaient diverses éditions des grands contes de fées. Jacob reconnaissait vaguement certains titres. Il dénombra quarante-huit ouvrages portant le titre de *Boucle d'or*, quatre-vingts celui du *Petit Chaperon Rouge* et quarante-deux celui de *Barbe-Bleue*, le plus intéressant, à première vue, à en juger par les pages couverture. *Cendrillon* ? Jacob jugea qu'il y avait trop de différentes versions pour entreprendre de les compter. C'était le seul livre dont il connaissait l'histoire, grâce au film que sa sœur avait tant de fois regardé.

Ailleurs, d'autres ouvrages étaient classés par nom d'auteur. Des livres qui avaient pour titre : *La philosophie du merveilleux*, *L'art des fées*, *La puissance de l'imaginaire féerique*, *De la naissance des dragons*, *Les petits peuples*... Les auteurs semblaient venir des quatre coins de la planète. L'un des noms capta soudain l'attention de Jacob : Théodore Jobin.

Il avait signé plusieurs livres. Sur la jaquette d'un des plus volumineux, on le décrivait comme un « éminent elficologue ». En gros, selon ce qui était écrit dans la présentation, Théodore Jobin était « spécialiste des fées et des petites créatures qui peuplent le royaume caché ».

— Pfuiiit ! lâcha Jacob avec mépris. Spécialiste des fées ! Et des cornichons, aussi ?

— Non. Les cornichons, je te les laisse.

Jacob se leva brusquement et fouilla la pièce du regard. Il découvrit un homme en chaise roulante dissimulé derrière un fauteuil disposé en angle. L'homme lisait.

L'oncle Théodore ! Un vieillard. Son visage ridé, labouré, raviné, trahissait le vécu d'un homme qui avait traversé de multiples épreuves. Et pourtant, ses yeux noisette brillaient d'intelligence. Il fixait tranquillement son filleul, sans rien dire.

— Tu as déjà lu un livre ? demanda-t-il.

La question agressa Jacob. Tous ces adultes vantant les mérites de la lecture l'énervaient prodigieusement. Chaque fois que l'un d'eux lui servait son discours sur les bienfaits de la lecture, le bonheur de l'évasion par les mots ou la richesse des voyages littéraires, Jacob avait envie de répliquer que c'est normal de penser comme ça quand on n'a jamais connu l'excitation d'un voyage sur écran. Comment des pages noircies de mots pouvaient-elles rivaliser avec les courses folles, les batailles épiques et les affrontements spectaculaires des meilleurs jeux électroniques ?

— Non, répondit Jacob en exagérant un peu, parce qu'à l'école, il avait bien été obligé à quelques reprises de lire un livre à peu près en entier pour ne pas couler.

— Tu fais bien, rétorqua l'oncle. Ça risquerait de t'arracher à ton petit monde étriqué. Lire, c'est dangereux. Ça fait réfléchir. Ça élargit les horizons.

— Si j'en juge par le contenu de cette bibliothèque, votre univers à vous est assez limité. Genre : les fées, les fées, les fées ! répliqua Jacob avec arrogance.

Théodore Jobin éclata d'un grand rire bruyant.

— Je vois que tu as du caractère. C'est bien… Enfin, c'est mieux que rien.

Jacob reçut le commentaire comme une gifle. « Espèce de vieux gribou ratatiné ! songea-t-il. Tu penses que tes rides te donnent le droit de m'insulter ? Que sais-tu de moi ? Rien du tout ! Alors comment oses-tu me juger ? Et qu'est-ce qui te fait croire que tu es supérieur ? »

Un vaste sourire illuminait le visage de l'oncle. Jacob baissa les yeux. Non pas parce qu'il avait honte de ses réflexions, mais parce que son parrain le scrutait d'une manière telle qu'il avait l'impression d'être mis à nu. À croire que ce vieil infirme avait un œil magique, lui aussi.

— Tu as raison. Je suis con, commença Théodore Jobin. Mais je suis un con intelligent qui a choisi la meilleure part : celle des fées.

— Les fées ! À votre âge ! explosa Jacob. C'est ridicule. J'ai un parrain qui croit aux fées. Et qui les étudie. Franchement ! Comment peut-on étudier ce qui n'existe pas ? Moi, au moins, quand je pars en mission devant mon écran, je sais que c'est juste un jeu… une invention… une évasion. Je ne me prends pas au sérieux et je n'embête pas les autres avec ça.

L'oncle prit appui sur ses bras dans un effort pour se lever qui n'était sans doute qu'un vieux réflexe, car il se laissa retomber aussitôt sur sa chaise. Jacob ressentit alors brusquement et presque douloureusement l'impuissance terrible de son parrain, prisonnier de cette chaise à roulettes, et il en eut pitié. Pas étonnant qu'il veuille s'évader chez les fées !

— Les fées n'existent pas ? Pauvre petit ! répliqua Théodore d'une voix soudainement adoucie. Les fées existaient bien avant les humains. D'ailleurs, les premiers hommes croyaient en elles et savaient mieux que nous partager leur existence avec les puissances merveilleuses. C'est ce qui nous manque le plus cruellement.

— À l'école, dans les journaux, partout, on nous dit que la grande urgence, c'est de sauver la planète d'une catastrophe écologique, pas de croire aux fées !

Théodore Jobin émit un bref ricanement.

— Les fées, comme la plupart des êtres du royaume caché, ont toujours été de formidables gardiennes des espaces divins : le ciel, la terre et l'eau. Si l'être humain ne s'était pas tant éloigné d'elles, la planète ne serait pas dans un tel état de détresse.

— C'est parce que vous croyez aux fées que vous avez embauché Léonie ? demanda soudain Jacob, amusé par cette idée. Elle me fait penser à la fée-marraine dans le dessin animé de Cendrillon.

L'oncle l'écoutait, sidéré. Heureux de si bien retenir son attention, Jacob poursuivit.

— Comme vous voyez, mes connaissances féeriques ne sont pas totalement nulles. Ma sœur, qui est un peu stupide – désolé, mais c'est la pure vérité – a vu le dessin animé de *Cendrillon* au moins cent fois quand elle était petite. Alors, forcément, j'en ai visionné des bouts moi aussi. Il était quand même fort, ce monsieur Disney, non ? C'est sûr que c'est une histoire de filles, mais… ça se tient quand même.

— Une histoire de filles ! Inventée par monsieur Disney ! Tu le fais exprès ou tu es vraiment aussi bête que ça ? L'histoire de Cendrillon est née dans la nuit des temps et si Disney a pu en faire un dégât, c'est parce qu'avant lui, quelqu'un de pas si mal l'avait couchée sur papier. Il s'appelle Charles Perrault et il est né trois siècles avant ton monsieur Disney.

Jacob se tenait toujours debout, mais ses jambes avaient ramolli. L'assaut avait porté. Il se sentait nul. Moche, poche, pitoyable. Il en avait assez d'être dénigré par tout le monde : son père, sa mère, sa sœur, les amies de sa sœur, ses profs… Et puis cet oncle parrain, maintenant. Les paroles de la chanson de Simon-Pierre s'élevèrent en lui : *Donnez-moi des racines / Fabriquez-moi des ailes / Je ne veux plus ramper / Faire semblant d'exister / Offrez-moi de l'air et du ciel / Ou je me fais éclater la cervelle.*

Comme son frère Simon-Pierre jadis, Jacob refusait de baisser la tête et de se laisser diminuer. Il avança vers son oncle et s'arrêta à moins de deux pas de lui. Théodore gardait les yeux vissés sur son filleul et Jacob le scrutait sans pitié, avec autant d'insistance. Il était si près qu'il pouvait entendre la respiration caverneuse du vieil homme.

— Si c'est chez les fées qu'on vous a appris la gentillesse et les bonnes manières, eh bien ! franchement ! je préfère ne pas y aller. Qui êtes-vous pour m'insulter ? Un parrain qui ne m'a jamais offert que de l'argent ? J'ai presque treize ans et je viens de débarquer chez vous pour la première fois. Vous ne me connaissez pas, vous ne m'aviez peut-être jamais vu avant et la première chose que j'apprends en arrivant, c'est que sa majesté mon parrain ne me recevra pas.

Théodore restait impassible. Jacob n'était que feu.

— Mais ce n'est pas tout, poursuivit-il. Quand par hasard vous tombez sur moi, vous me traitez d'imbécile parce que je ne connais pas Cendrillon intimement. Eh bien ! cher parrain, je ne suis pas le seul humain de la planète dans cette situation. C'est sympathique d'avoir une passion, mais si celle des fées vous donne le droit de mépriser les autres humains, alors, honnêtement, elle est bien moche, votre passion.

Un long silence s'installa. Ni l'un ni l'autre n'avait détourné son regard. Soudain, Jacob se plia en deux comme s'il avait reçu un coup au ventre, là où logeait son œil magique. Il venait d'être assailli non seulement par les émotions de son oncle, mais aussi par ses connaissances, et la charge était encore plus puissante que le soir où Simon-Pierre avait levé le regard vers lui pour la dernière fois de sa vie. Ce qu'éprouvait Jacob était presque insoutenable. Il avait eu accès pendant un bref moment à une conscience aiguë du monde, un peu comme s'il traversait soudainement plusieurs dimensions pour atteindre une vérité nouvelle. Il en conservait une impression d'horreur et d'enchantement et le sentiment d'avoir porté pendant quelques instants le poids du monde sur ses frêles épaules.

C'était trop. Trop fort, trop lourd, trop accablant.

Une voix le ramena à lui-même. L'oncle parlait. Ses lèvres remuaient. Les mots mirent un moment avant d'atteindre Jacob. Alors, seulement, il entendit :

— Tu as raison. Je suis con. Merci de me l'avoir rappelé.

C'est ce que l'oncle avait dit. Puis il était parti.

Jacob resta longtemps dans la bibliothèque après le départ de son parrain. Il avait besoin de réfléchir. Au terme de sa réflexion, il décida de ficher le camp. C'étaient ses vacances à lui aussi. Pas juste celles de Jacinthe, Jean-René et Maryline. Et il n'avait pas envie de les passer dans la même maison que ce parrain excentrique et bougon – pour ne pas dire franchement épeurant ! – avec qui il risquait de s'engueuler souvent. Non. Il avait besoin d'être bien. Et de s'évader. Il n'avait pas mis les mains sur une manette depuis plus de trente-six heures et c'était déjà trop pénible. Les doigts lui picotaient et il n'arrêtait pas de revoir les dernières images apparues sur son écran. Il savait exactement ce qu'il devait affronter et il était prêt à le faire. Il avait besoin de franchir au moins un monde pour se sentir moins nul, pour se souvenir qu'il existait quand même des univers qu'il maîtrisait, des luttes dont il pouvait émerger victorieux.

Son plan n'était pas compliqué. Il allait répéter le même scénario… à l'envers. Refaire le coup du téléphone devant Léonie en prétextant qu'il voulait prendre des nouvelles de sa sœur. Interrompre la communication avant que quelqu'un décroche le combiné et improviser une conversation bidon. Il ferait croire au parrain et à la vieille Léonie que sa sœur avait tenté de le joindre, mais qu'elle avait perdu le numéro de téléphone. Il devait retourner à la maison d'urgence parce que ses parents étaient de retour. Sa mère avait attrapé un virus, tiens. N'importe quoi… Il se débrouillerait pour être convaincant. Il trouverait quelqu'un pour le conduire à Westville et il rentrerait chez lui. Personne ne saurait qu'il est seul à la maison. Et il en profiterait pleinement. Trois semaines de liberté. Le bonheur !

Léonie le surprit seul dans la bibliothèque alors qu'il peaufinait son plan.

— Si le cœur t'en dit, il y a des crêpes au menu, ce matin, annonça-t-elle.

Jacob jugea qu'il n'avait plus rien à protéger – ni honneur, ni intimité –, puisqu'il allait partir, aussi accepta-t-il la proposition de Léonie. De plus, il avait faim. La tranche de gâteau faisait déjà partie d'un lointain passé. Il se promit de téléphoner tout de suite après le repas.

Jacob venait d'engloutir une montagne de crêpes aux petits fruits nappées de crème anglaise et de sirop ainsi que deux grandes tasses de chocolat bien mousseux, lorsqu'une série d'aboiements se fit entendre.

— Fandor! s'écria Léonie, visiblement enchantée.

Elle essuya prestement ses mains sur son tablier, fit quelques pas pour quitter la cuisine, revint rapidement en se souvenant qu'un ragoût mijotait, éteignit le feu et disparut d'un pas dansant.

L'oncle s'était déplacé en chaise roulante. Ils se retrouvèrent tous les trois dans le jardin, sous un soleil radieux – Jacob, Théodore et Léonie – pour accueillir ce Fandor. C'était un chien si énorme qu'en l'apercevant pour la première fois, il fallait un moment d'observation pour convenir que c'était bel et bien un chien et non une vache, un poney ou quelque autre animal. Fandor était une gigantesque créature poilue, une masse frétillante de longs poils marron et crème montée sur des pattes trapues qui lui conféraient une démarche pataude. Il avait une grosse tête, de longues oreilles molles, une large gueule baveuse et des yeux piteux d'un brun liquide à faire craquer les cœurs les plus durs.

Le cousin de Léonie descendit de son camion – il avait laissé sortir Fandor avant même d'arriver à la maison, de peur qu'il ne défonce la portière tant il semblait excité de rentrer au bercail. Fandor avait été absent plus d'une semaine. Le vétérinaire l'avait opéré pour une tumeur à l'abdomen, puis il l'avait gardé sous surveillance en lui administrant des bains thérapeutiques pour aider la plaie à cicatriser.

— Le docteur recommande qu'il fasse plus d'exercice, déclara le cousin de Léonie en reluquant Jacob. Ces grosses bêtes sont un peu idiotes. Elles aiment tellement les humains qu'elles ne songent même pas à se balader sans eux. Fandor est obèse. Voilà, c'est dit. Il doit absolument perdre un peu de poids et pour ça, il faudrait moins le gâter – son regard coula vers Léonie – et le faire courir un peu. Lancez-lui une balle si vous ne pouvez pas lui offrir de promenades.

Sur ces paroles, le cousin embrassa tendrement Léonie, salua Théodore Jobin, gratifia Jacob d'un hochement de tête et partit. Fandor courait de l'oncle à Léonie dans un débordement de joie pathétique, s'arrêtant parfois brusquement pour appuyer ses grosses pattes sur les épaules de Théodore en donnant des coups de museau pour s'attirer des caresses. L'oncle adorait cette bête, c'était flagrant. Il posait sur elle un regard débordant d'affection et semblait prêt à tout lui accorder comme à tout lui pardonner. Quant à Léonie, elle contemplait l'animal avec une fierté maternelle, le sourire radieux et les yeux brillants.

— Allez… allez… Ça suffit, maintenant. Du calme, Fandor ! commanda finalement Théodore. Si tu continues, tu vas faire éclater tes points de suture !

Le chien diminua ses ardeurs à contrecœur. Il continua de sautiller un moment, comme malgré lui, avec l'air de se rappeler à toutes les quelques secondes que son maître lui avait ordonné d'arrêter. Soudain, il découvrit Jacob.

Le chien s'arrêta net. Sans doute avait-il déjà remarqué la présence du jeune garçon, mais il était trop excité par les retrouvailles pour y prêter attention. Maintenant, il s'y employait entièrement. L'animal s'était immobilisé, assis sur son arrière-train, et il observait tranquillement Jacob en penchant la tête d'un côté puis de l'autre avec l'air de l'étudier.

Jacob était ému. Il avait toujours rêvé d'avoir un chien, mais Jean-René se disait allergique, ce dont son fils n'était pas du tout convaincu. Petit, Jacob avait souvent commandé un frère jumeau à ses parents, ce qui les faisait bien rire. À défaut, il réclamait alors un chien. Un gros chien, précisait-il. Un chien avec lequel il dormirait, un chien avec lequel il parcourrait le monde, un chien qui le protégerait, aussi. Et voilà que cette grosse bête posait sur lui ce regard tendre et protecteur dont il avait tant rêvé.

Jacob secoua la tête pour s'arracher à ses vieux fantasmes. Le chien se fichait sans doute éperdument de lui. Il se reposait simplement, le regard vide, en rêvassant. Au moment même où Jacob se faisait cette réflexion, Fandor se releva subitement et avança vers lui, sans jamais le quitter de ses grands yeux de caramel fondant. Le chien s'arrêta aux pieds de Jacob et se coucha dessus, sans gêne aucune, avec l'air de dire : « Toi, tu ne bouges plus. » Puis, il laissa tomber sa tête sur le sol et poussa un soupir d'intense satisfaction.

Léonie partit d'un petit rire ravi et Théodore émit un drôle de son qui semblait correspondre à un éclat de rire.

— On dirait bien que Fandor t'a adopté, déclara Léonie.

Sur quoi l'oncle ajouta, narquois :

— Je me demande bien ce qu'il peut lui trouver.

Mais quelque chose dans sa voix semblait insinuer qu'il savait parfaitement quoi.

L'INTERDIT

Ce soir-là, en contemplant la lune joufflue, Jacob résolut de rester encore quelques jours chez son parrain. Seulement pour profiter de Fandor, se dit-il. Mais dans les replis secrets de son âme, il savait déjà qu'il y avait d'autres raisons.

Le lendemain, Léonie lui suggéra d'explorer la forêt en compagnie du chien.

— Ça lui ferait tellement plaisir, le pauvre, plaida-t-elle. D'habitude, il n'y a personne pour le promener. Je suis trop vieille pour courir les bois et ton oncle ne peut tout simplement pas.

Léonie lui expliqua qu'il existait un sentier, mal dessiné et broussailleux, mais qui avait encore le pouvoir de guider les pas des aventuriers. Ce sentier menait à un étang où Fandor serait bien heureux de boire, si jamais Jacob poussait la balade jusque-là.

— Ça fait des siècles qu'il n'y est pas allé, dit-elle. La dernière fois, c'était encore un chiot. Ah oui! Si tu te perds, cherche les arbres marqués d'une tache rouge.

Elle lui prépara un goûter, qu'il fourra dans son sac à dos avec une bouteille d'eau. Jacob trouva Fandor posté devant la porte d'entrée, la queue frétillante et les yeux gourmands de plaisir, à croire qu'il savait parfaitement ce qui l'attendait.

Ils marchèrent des heures dans la forêt chaude et bruissante, parfumée par les grands pins. Jacob eut un serrement au cœur en songeant que la dernière fois qu'il s'était aventuré ainsi sous les arbres, c'était à l'été de ses onze ans, le dernier qu'il avait passé à conquérir le monde en compagnie de Simon-Pierre. Pendant des années, ils avaient arpenté les bois aux limites de la ville en brandissant leurs armes de chevalier, repoussant les ennemis, terrassant des dragons, libérant de pauvres prisonniers et hissant bien haut leurs drapeaux. Ils avaient construit des forts, grimpé aux arbres pour jouer les sentinelles et s'étaient répété d'extraordinaires promesses de loyauté et de foi en leurs nobles idéaux. Simon-Pierre était chef d'armée, Jacob premier commandant. L'aîné inventait les jeux, puis laissait son jeune frère donner libre cours à ses fantasmes, relançant l'action dès que le plaisir diminuait. Simon-Pierre possédait des trésors d'imagination.

Pendant que Jacob se livrait à ses réflexions, Fandor courait après un merle ou un écureuil, revenait à son nouvel ami en galopant et repartait aussitôt, tout à sa joie. Jacob évalua que la grosse bête parcourait trois fois plus de kilomètres que lui. Arrivé à l'étang, Jacob eut l'impression d'assister à une vision enchantée. Le cadre était parfait, l'eau calme et limpide, piquée de roseaux près des rives et garnie de bouquets de nénuphars. Le soleil ardent arrachait des éclairs argentés à la surface miroitante que le vent plissait doucement.

Jacob n'hésita qu'une fraction de seconde. Il se débarrassa vivement de ses vêtements et courut vers l'eau. Son compagnon le rejoignit presque aussitôt. Après de longues poursuites folles et de joyeuses chevauchées sur le dos de Fandor, Jacob nagea jusqu'au bord, où il se laissa sécher au soleil, épuisé et content.

Il partagea son goûter avec le chien : d'épaisses tranches de pain maison avec du jambon, des œufs, du fromage, du cidre et des biscuits au gingembre. Léonie en avait préparé pour une armée, mais ils réussirent quand même à tout dévorer. Au retour, ils avancèrent plus lentement, sans doute parce qu'ils étaient fatigués, mais peut-être aussi parce qu'ils n'avaient pas vraiment envie de rentrer. Jacob avait vécu un après-midi si bien rempli qu'il en avait oublié le Grand Vide Bleu. Il s'était même surpris à être tout simplement heureux.

Le repas du soir fut également mémorable. L'oncle ayant décidé de se joindre à eux, ils mangèrent dans la grande salle à manger aux murs lambrissés de bois. Léonie avait étendu une nappe de lin et allumé des bougies. Dehors, le vent avait forci et derrière la fenêtre entrouverte, les branches des arbres s'agitaient en créant un concert grave et enveloppant. Jacob avait un peu l'impression d'évoluer dans un espace protégé du reste du monde. Pendant le repas, l'oncle but trois verres de vin rouge – Jacob les compta – et chacun d'eux eut pour effet de lui délier un peu plus la langue.

Jacob était ravi. Son parrain était un formidable conteur. Il multiplia les anecdotes sur Fandor, heureux de se remémorer les grandes frasques comme les petits exploits de son vieux camarade. Léonie était tellement contente d'organiser un repas d'allure familiale – elle avait laissé entendre que Théodore Jobin prenait presque tous ses repas seul dans ses quartiers – qu'elle se surpassa. La fée-marraine servit un poulet glacé à l'orange accompagné de pommes de terre mousseline, de carottes caramélisées et de gelée de petits fruits. Un flanc au caramel trônait sur la desserte. L'oncle mangeait avec un bel appétit et sa bonne humeur était contagieuse. Il semblait particulièrement satisfait de savoir que son chien avait enfin pu courir à son aise en terrorisant tous les écureuils sur son passage.

Jacob allait attaquer ses pommes de terre, après avoir dévoré son poulet avec une gourmandise qui fit plaisir à Léonie, lorsqu'un souffle de vent fit trembler les marguerites sur la table. Au même moment, une flaque de lumière dansa sur la nappe.

— Et voilà ! Une fée est passée, déclara l'oncle, le plus sérieusement du monde, comme s'il se fut agi d'un moustique ou d'un papillon.

Jacob leva les yeux vers son parrain.

— Tu ne me crois pas, s'attrista Théodore Jobin. Tu nages donc vraiment en pleine noirceur, mon pauvre enfant. Les fées existent. Je n'y suis pour rien, c'est ainsi. Et c'est aussi vrai que moi, Théodore Jobin, j'existe. Les fées m'ont d'ailleurs sauvé la vie…

Sur ce, Théodore Jobin piqua sa fourchette dans un morceau de poulet qu'il entreprit de mastiquer tranquillement, le regard perdu dans quelque ailleurs secret. Il déposa ensuite son ustensile, but une gorgée de vin et entreprit de raconter à son filleul un pan de sa vie.

— C'était il y a quatorze ans, commença-t-il. Tu n'étais pas encore né. Je soupçonne d'ailleurs ton père d'avoir insisté auprès de ta mère pour que je te serve de parrain parce qu'il trouvait que je faisais pitié. J'étais déjà vieux et un peu imbécile. Je me croyais immortel et invincible, comme la plupart des hommes qui réussissent bien. Un matin, alors que je traversais tranquillement la rue, une voiture m'a fauché. Le chauffeur n'était même pas en état d'ivresse, simplement un peu distrait. Son véhicule m'a frappé de plein fouet et m'a expédié deux cents mètres plus loin dans un tas de feuilles pourries. L'atterrissage aurait pu être pire…

Il jaugea son auditoire, constata que l'attention de son filleul lui était parfaitement acquise et poursuivit :

— Ils m'ont quand même retrouvé en petits morceaux. Il a fallu cinq interventions chirurgicales pour me réparer. Et encore, ils allaient au plus urgent ! Mes jambes ont mal réagi. Elles ont pris toutes les couleurs de l'arc-en-ciel – jaune, rouge, vert, bleu, mauve… Elles étaient déjà lacérées et tuméfiées depuis l'accident et voilà que les plaies sont devenues purulentes. J'empestais la pourriture et c'était horrible à voir. Pendant quelques jours, ils ont pensé me couper les membres inférieurs. Finalement, j'ai échappé à l'amputation, mais j'ai complètement perdu l'usage de mes deux jambes.

Il recula un peu sa chaise en poussant de ses mains contre la table et s'asséna deux puissants coups de poing sur les cuisses.

— Tu vois? Je ne ressens rien! C'est mort… déclara-t-il.

Il affichait un sourire supérieur, comme si rien de tout cela ne l'atteignait vraiment, mais des lueurs de colère flambaient au fond de son regard. Théodore Jobin était encore furieux contre son corps, furieux contre les médecins, furieux contre le chauffeur distrait et peut-être aussi contre la planète en entier. Léonie émit quelques bruits de gorge particulièrement insistants et Jacob comprit qu'elle n'aimait pas le tour que prenait la conversation.

— Mais sinon, votre santé… enfin… vous allez bien, non? tenta-t-il pour faire diversion.

— Bah! Des traumatismes de cette sorte, ça bousille une foule de mécanismes. Et puis, à force de ne pas bouger, le corps se déglingue… Heureusement, j'ai toute ma tête. C'est l'essentiel!

Il prit une grande gorgée de vin et baissa la voix avant d'ajouter :

— Mais tout ça n'a guère d'importance. Ce que je veux te raconter, c'est comment les fées m'ont sauvé.

Jacob jeta un bref coup d'œil à Léonie. Elle écoutait Théodore Jobin avec un plaisir non dissimulé, le regard complice et le sourire empreint d'affection. Jacob devina qu'elle aussi croyait aux fées.

— C'est une longue histoire, commença Théodore, le regard noyé dans un océan de souvenirs. La première fois, je n'ai pas tout de suite compris à qui j'avais affaire… J'étais seul dans ma petite chambre d'hôpital à souffrir et me morfondre lorsqu'une visiteuse est entrée. Je ne saurais la décrire… J'étais dans un tel état que je l'ai à peine regardée. Elle a déposé un livre sur le plateau roulant à mes pieds et, presque aussitôt, elle s'est confondue en excuses, expliquant qu'elle s'était trompée de chambre, et elle est repartie en abandonnant l'ouvrage.

« Le titre de ce livre ? *Les fées.* L'ouvrage, rédigé dans une langue juste et claire, presque scientifique, expliquait la naissance des fées, leurs pouvoirs, leurs lieux de prédilection – avec, par exemple, l'ondine qui est la fée des eaux –, leurs liens avec les nains, les lutins, les gnomes, les farfadets et les korrigans… Il racontait comment certaines fées perdent leurs ailes et d'autres pas, pourquoi certaines se manifestent aux humains et comment certains d'entre eux sont choisis pour apprendre des fées à aider leurs semblables à mieux frayer avec les puissances merveilleuses. L'ouvrage spécifiait que de rares humains ayant le statut d'élus étaient chargés de mission au royaume caché, là où les fées se mêlent aux sorciers, aux géants et aux petits peuples. Ces passeurs qui obtiennent la rare permission de pénétrer dans l'autre monde en reviennent toujours transformés, mais il arrive aussi, parfois, qu'on ne les revoie plus… »

Le parrain de Jacob s'arrêta à nouveau. Il but du vin, puis ferma les yeux et avala une grande goulée d'air. L'ombre d'un sourire flottait sur ses lèvres. Théodore Jobin savourait un instant précieux.

— Tout cela me semblait bien captivant, mais aussi tellement étrange, continua-t-il. J'étais amusé, intrigué, mais encore loin d'être converti à la cause des fées. Le dernier chapitre du livre était intitulé : « Pour réenchanter le monde ». Il expliquait comment, avec le secours des fées, les humains peuvent eux aussi déployer leurs ailes, explorer l'invisible et redécouvrir la magie du monde.

Jacob déglutit. Les dernières paroles de son parrain l'interpellaient avec tant de force que ses oreilles bourdonnaient et son cœur battait trop fort. Il avait l'impression que ces phrases avaient été écrites pour lui. Elles lui rappelaient aussi Simon-Pierre. Ces paroles correspondaient à ce que son frère désirait le plus ardemment, à ce qu'il tentait d'atteindre par toutes sortes de moyens – la musique, l'écriture, les chevauchées imaginaires…

— J'ai pleuré en lisant ces lignes, confia Théodore Jobin. Et le lendemain, les fées m'ont visité.

Au ton de la voix de son parrain, Jacob devina qu'il n'en saurait pas davantage sur cette mystérieuse « visite ». Théodore resta effectivement longtemps silencieux. Léonie en profita pour desservir et Fandor la suivit, animé par l'espoir de pouvoir lécher quelques assiettes. Léonie venait tout juste de reprendre place lorsque Théodore Jobin poursuivit son discours comme s'il n'y avait pas eu de pause.

— Après, je me suis mis à lire tout ce que je pouvais trouver sur les fées, le merveilleux et les créatures enchantées. J'ai lu et relu aussi tous les vieux contes peuplés de géants, de sorcières, de dragons, de princes, de lutins et de fées. Il ne fallut que quelques mois pour que je « m'enfée », un mot fabuleux signifiant qu'on se convertit aux fées. C'est en compagnie de créatures enchantées que j'ai poursuivi ma convalescence. Finalement, on m'a installé dans cette foutue chaise à roues et j'ai repris mon travail à l'Institut de recherche clinique avancée où travaille encore ton père. Nous étions collègues, à l'époque. Le savais-tu ? Puis, un jour, j'ai tout abandonné pour me consacrer uniquement aux fées.

« Elles m'ont sauvé la vie non seulement avec leurs enseignements et leurs visites à des moments cruciaux, mais aussi en me fournissant un gagne-pain enviable. Après plusieurs années de lectures et de recherches intenses, j'ai terminé mon premier ouvrage, *La grande encyclopédie des fées*, qui a connu – et connaît encore – un réel succès. Depuis que j'ai quitté l'Institut, je gagne ma vie en publiant mes travaux sur les fées et les usages du merveilleux. Mais malgré toute ma dévotion pour leur cause, les fées ne m'ont pas élu. Je reste condamné à vivre parmi les humains… »

Jacob avait du mal à bien saisir le sens de ces paroles, mais il ressentait dans ses tripes la tristesse abyssale de ce vieil homme qui aurait tout donné pour s'évader chez les fées.

Le silence s'installa. Léonie sembla soudain accablée, mais Jacob n'aurait su dire exactement pourquoi. Aurait-elle souhaité, elle aussi, être choisie par les fées ? Ou peut-être leur en voulait-elle de tourmenter son ami ? Théodore Jobin termina son deuxième verre de vin et s'en versa un troisième. Il semblait plus calme, plus serein, ce qui incita

Jacob à oser lui poser une des nombreuses questions qui lui brûlaient les lèvres.

— Est-ce que c'est à cause… des fées… que vous vous êtes brouillé avec mes parents ?

Théodore Jobin sembla faire la sourde oreille. Jacob avait renoncé à tout espoir d'obtenir une réponse lorsque son parrain lança tout à coup :

— Non. Pas vraiment…

Il se tut à nouveau. L'horloge sonna neuf coups et le silence reprit aussitôt possession des lieux. Dehors, une chouette hulula.

— Ton père et moi étions frères, collègues et amis, commença le parrain. Nous avions tous les deux longuement étudié en biochimie, une passion commune. Au laboratoire où nous étions cochercheurs, notre mandat principal était de perfectionner des onguents antibiotiques pour combattre les infections. Peu après l'accident, j'ai fait une découverte magistrale dont je suis très fier, tout en sachant fort bien que sans l'inspiration des fées, je serais passé à côté. Au hasard d'une manipulation exploratoire, j'ai découvert que les déjections de certains types d'insectes avaient des propriétés fabuleuses, non seulement antiseptiques et antibiotiques, mais surtout régénératrices. J'ai mis ton père dans la confidence. Jean-René a immédiatement saisi le potentiel immense de cette percée scientifique. Il était aussi troublé et excité que moi.

« À l'époque, nous subissions beaucoup de pression du conseil d'administration de l'Institut et plus particulièrement du président, un homme affamé de pouvoir et sans scrupules. La recherche scientifique doit constituer une véritable mission. Il faut s'y consacrer corps et âme, en acceptant d'avancer à l'aveuglette avec pour unique moteur l'espoir de contribuer un jour au mieux-être de l'humanité. Rien n'est acquis, rien n'est assuré. Des vies entières de travail acharné servent seulement à paver la voie à une autre génération de chercheurs. Or ceux qui nous subventionnaient nous pressaient de plus en plus pour qu'on leur ponde un produit miracle. La plupart des membres du conseil d'administration espéraient ainsi s'attirer un peu de gloire, mais le président avait également pour ambition de faire de l'argent. Beaucoup d'argent.

« Ton père et moi avons convenu de ne pas éventer ma découverte. Il fallait vérifier tant de choses… Toute grande avancée scientifique peut mener à d'extraordinaires développements comme à des utilisations perverses.

« Afin de me permettre de poursuivre mes travaux en paix, Jean-René a redoublé d'ardeur au travail, espérant ainsi compenser pour le temps que je consacrais à cette nouvelle recherche. Mais ton père est un grand naïf… Le président du conseil d'administration de l'Institut de recherche s'est douté de quelque chose et il s'est mis à cuisiner ton père. Jean-René n'a pas lâché le morceau tout de suite, mais notre président a vite compris que ses intuitions étaient justes et il a élaboré une stratégie pour parvenir à ses fins. En louvoyant pour ne pas paraître trop brutal et éviter de choquer ton père, cet homme infect s'est mis à promettre mer et monde à Jean-René : primes, augmentation de salaire, voyages d'étude, bourses de perfectionnement… Au bout de quelques mois, ton père a flanché.

« Jean-René a été passablement influencé par ta mère, poursuivit Théodore Jobin sans dissimuler son amertume. Disons qu'elle ne l'a jamais vraiment encouragé dans ses recherches. Ta mère avait des projets plus… terre à terre. Elle a toujours eu le défaut de trop aimer tout ce qui coûte cher. Jean-René souffrait de se faire constamment reprocher de ne pas satisfaire ses exigences avec son salaire qui était pourtant fort honorable. Dès qu'il a été mis au courant de ma découverte, le président du conseil d'administration a réagi exactement comme je l'avais craint. Au lieu de me permettre de poursuivre mon investigation et de partager cette découverte avec la communauté scientifique afin d'aboutir aux meilleurs développements, il a voulu taire l'affaire. Pourquoi? Pour mettre la science au service d'intérêts purement pécuniaires!

« Le conseil d'administration m'a fait une proposition. On m'adjoignait une armée d'assistants sous la supervision de Jean-René, mais on me contraignait à orienter toute ma recherche sur la production d'un sérum antirides, un projet potentiellement très lucratif. Alors que je venais de réaliser une percée scientifique qui pouvait aider des gens très malades à combattre des infections graves ou encore à réhabiliter leurs cellules affaiblies, ce qui, dans le cas de nombreux cancers, représentait une avenue exceptionnellement prometteuse, on réduisait ma recherche à un usage esthétique. J'ai eu beau faire valoir tous les arguments possibles, y compris l'extraordinaire notoriété que ces recherches procureraient éventuellement à l'Institut, le conseil d'administration s'en est tenu à des visées à court terme.

« Le pire, c'est qu'il n'avait pas tout à fait tort. Ce que je souhaitais investiguer risquait de prendre des années. Et, comme je te l'ai expliqué, les résultats ne sont jamais assurés. J'étais quand même prêt, sans leur appui, à y consacrer toute mon existence, mais légalement et concrètement, c'était impossible. Comme j'étais un employé de l'Institut, ma découverte ne m'appartenait pas personnellement. De toute manière, mes expérimentations auraient nécessité des fonds et des installations que je ne possédais pas.

« J'ai donc démissionné pour me consacrer entièrement aux fées. »

Jacob était sonné. Tant de révélations, tant de perceptions nouvelles… De son parrain, mais aussi de son père et de sa mère. Il voyait sa famille sous un éclairage neuf et cette histoire de grande découverte scientifique avec toutes sortes d'avenues de recherche le fascinait. Son cerveau tentait de digérer ces informations à vitesse accélérée. Il se sentait fébrile et animé par une grande soif de vérité.

— Alors, c'est parce qu'il a révélé votre découverte que vous vous êtes brouillés ? C'est à partir de là que vous avez coupé tous les liens avec mon père ?

— Non. Quand j'ai appris ce qu'il avait fait, je l'ai engueulé comme jamais dans ma vie et je lui en ai voulu à mourir, mais je n'aurais pas mis une croix sur mon frère pour autant. Nous étions vraiment… très proches… D'ailleurs, le pauvre était démoli. Après avoir craqué et tout divulgué, on aurait dit qu'il s'était éteint. Il m'a avoué qu'il le regrettait et qu'il se sentait moche. C'est le mot qu'il a utilisé, je me souviens…. Au fond, nous avons cessé de nous fréquenter parce qu'il y avait trop de tension, trop de remords, trop de tristesse entre nous.

Théodore Jobin se racla la gorge et déglutit.

— Je lui avais assez facilement pardonné d'avoir trahi notre entente en dévoilant ma découverte, mais j'avais du mal à accepter qu'il renie ses idéaux. C'est ce qui a finalement mené à une véritable dispute entre tes parents et moi. Nous nous sommes engueulés parce que j'enrageais de voir mon frère accepter des tâches professionnelles idiotes. Les membres du conseil d'administration se méfiaient de lui désormais, alors ils se sont mis à lui confier des recherches sans intérêt, en compensant discrètement avec des augmentations de salaire alléchantes. J'aurais voulu que ton père se révolte…

« Ta mère était aux anges. Elle refusait de voir qu'ils étaient en train de tuer un grand homme à petit feu. Vous avez déménagé dans un quartier plus huppé et elle a pu acheter toutes sortes de beaux objets inutiles. Un soir, je leur ai dit ce que je pensais de tout ça. Ton père a encaissé. Ta mère a piqué une crise de nerfs. Après, on ne s'est plus jamais revus.

Il s'arrêta brusquement avec l'air de quelqu'un soudainement inquiet d'avoir trop parlé. Léonie venait de le fusiller d'un regard noir. Jacob devina qu'elle reprochait à son patron – qui était clairement davantage un ami – d'avoir critiqué si ouvertement les parents de son filleul. Toutefois, Jacob voyait bien que Léonie était solidaire des prises de position de Théodore Jobin. Jacob songea qu'il avait appris bien des choses au cours de la soirée, et pourtant, il aurait juré que ce n'était que la pointe de l'iceberg.

Il le sentait dans son ventre. Théodore Jobin partageait avec la fée-marraine de Cendrillon de graves secrets solidement cadenassés.

Une foule d'interrogations assaillaient Jacob. Il aurait voulu que son parrain lui parle encore de son père. Comment était-il avant, quand des passions l'animaient encore? Et sa mère, avait-elle toujours été aussi... superficielle? La découverte à partir des sécrétions d'insectes avait-elle mené à des produits mis en vente depuis? Serait-il encore possible d'avancer dans l'autre avenue de recherche, celle qui pourrait peut-être aider à guérir des cancers?

Soudain, une question particulière émergea du flot d'interrogations. Une question qui n'avait pourtant rien à voir avec tout ce qu'il venait d'apprendre. Une question que Jacob jugea aussitôt un peu idiote, mais qu'il ne put s'empêcher de formuler tout haut, parce qu'elle s'imposait à lui, clairement et fortement :

— J'aimerais savoir... euh... Parce que c'est quand même étrange... Et puis... c'est normal d'être curieux. La porte, de l'autre côté du couloir... Celle qui mène au sous-sol. Pourquoi m'interdisez-vous de l'ouvrir?

Théodore Jobin abattit brusquement son poing sur la table, renversant deux verres et faisant trembler les couverts.

— Parce que j'en ai décidé ainsi, tonna-t-il. Si jamais tu oses franchir cette porte sans ma permission, tu découvriras le sens véritable des mots épouvante et souffrance. Et tu n'auras pas assez de toute ta vie pour le regretter.

BARBE-BLEUE

Le lendemain, Jacob s'éveilla en sursaut, alerté par de puissants coups de tonnerre. Il se redressa dans son lit et vit un éclair zébrer le ciel. Il allait s'enfouir à nouveau sous les draps lorsque sa main heurta une surface étrange, une masse chaude qui remua avant d'émettre un profond soupir. Jacob repoussa les couvertures. Une oreille molle émergea, puis deux yeux marron et un gros museau.

— Fandor ! Mais qu'est-ce que tu fais là ?

Un grand désordre régnait dans le lit. Fandor avait malgré tout réussi à s'installer sans que son compagnon s'éveille. Jacob éclata de rire en imaginant les manœuvres de la grosse bête et lui frotta affectueusement la tête. Fandor se redressa aussitôt, heureux de découvrir que Jacob était enfin réveillé. L'animal entreprit alors de s'ébrouer vigoureusement, ce qui finit de convaincre Jacob de se lever.

Il resta un moment devant la fenêtre. La pluie tombait drue, maintenant. Jacob s'habilla et descendit les escaliers jusqu'au rez-de-chaussée, suivi de Fandor. Le chien fila droit vers la porte d'entrée. Jacob lui ouvrit et aussitôt, le vent et la pluie s'engouffrèrent dans le vestibule en menaçant de faire tomber une statuette sur un guéridon. Jacob l'attrapa juste à temps. C'était un elfe. Jacob reposa la délicate créature ailée à sa place et voulut refermer la porte d'un coup de pied lorsqu'il s'aperçut que Fandor attendait sur le seuil. Ou plutôt l'attendait.

— Ah non! Pas question, déclara Jacob en refermant la porte. Tu vas faire tes besoins tout seul, espèce de gros nigaud. T'as pas vu? Il pleut à se noyer. Pas question que je t'accompagne.

Fandor pencha sa tête d'un côté, puis de l'autre, comme s'il avait tout compris. Il s'avança vers Jacob et leva une de ses pattes avant pour gratter la cuisse de son jeune ami, le regard suppliant et les oreilles pendantes. Jacob aperçut alors un ciré accroché au mur et des bottes qui semblaient pouvoir lui convenir. Il eut soudain l'impression d'être le héros d'un film condamné à obéir au scénario. Le pire, c'est qu'il avait presque envie de plonger dans la pluie.

Sitôt dehors, Fandor disparut, sans doute pour faire ses besoins. Il émergea de l'ombre peu après, bondissant, la queue frétillante, comme si le temps était radieux et la journée parfaite pour les promenades, alors même que des trombes d'eau s'abattaient sur eux. L'animal fit quelques pas, se retourna pour s'assurer que son jeune ami le suivait, et avança d'un pas heureux vers la forêt.

— Pas question d'aller aussi loin qu'hier, l'avertit Jacob en reconnaissant le sentier de la veille. Youhou, le chien! M'entends-tu?

Fandor poursuivit sa route pendant un moment, puis quitta soudainement le sentier pour foncer entre les

arbres dans la forêt trop dense, malmenant les broussailles au passage. Jacob crut qu'il poursuivait une bête.
Mais non ! Fandor voulait l'entraîner quelque part. Lorsque
le chien découvrit que son compagnon ne le suivait pas,
il revint sur ses pas et entreprit de gratter avec insistance
la cuisse de Jacob, mouillant et souillant son pantalon,
jusqu'à ce que le jeune garçon, curieux malgré tout,
accepte de l'accompagner.

Ils s'arrêtèrent quelques minutes plus tard dans une
toute petite clairière, un espace étonnant, parfaitement
dégagé, au beau milieu de la forêt. Une herbe drue, ramollie
par la pluie, y poussait en compagnie de fleurs variées.
Fandor attendait, le museau relevé, l'air aux aguets.

— Qu'est-ce que tu veux me montrer, gros bêta ? lui
demanda Jacob.

Le chien ne remua pas d'un poil. N'ayant rien d'autre
à faire, Jacob s'attarda à examiner les lieux. Il constata
d'abord que la pluie avait cessé et que des odeurs capiteuses
embaumaient la forêt. L'orage avait réveillé des parfums
de terre, d'herbe, de feuilles, d'écorce, de sève et de sucs.
Jacob se surprit à fermer les yeux pour mieux humer toutes
ces odeurs. Il resta ainsi un long moment. Il y avait quelque
chose d'excitant dans cette diversité de parfums. Cela ne
lui était jamais arrivé auparavant de s'arrêter ainsi simplement pour renifler l'espace autour de lui. Jamais il ne
s'était douté que ce sens qu'on appelle l'odorat pouvait lui
procurer des sensations aussi intenses et aussi délicieuses.
Jacob avait l'impression de découvrir un monde neuf,
insoupçonné, qui ne s'ouvrait encore à lui que timidement, mais qui était rempli d'extraordinaires promesses.

Il fut ensuite saisi par les bruits. Cette forêt, qui jusquelà lui avait semblé silencieuse, révélait soudainement une véritable symphonie de sons divers. Aux cris des oiseaux et au vent qui agitait les arbres ceinturant la clairière s'ajoutaient le murmure de l'herbe et des fleurs ployant doucement sous les gouttes d'eau, le froissement des broussailles, les râles de l'écorce, des rumeurs d'insecte et la respiration secrète d'une multitude de bêtes, tapies dans l'ombre humide.

Jacob ressentit peu à peu une grande plénitude. Depuis longtemps déjà – et encore davantage depuis le départ de Simon-Pierre –, il était rongé par un sentiment de vide. Rien ne l'enthousiasmait vraiment. Il avait l'impression d'avancer sans but précis dans un univers morne où rien n'était véritablement passionnant. Et voilà qu'une simple clairière blottie dans la forêt parvenait non seulement à l'inspirer mais aussi à l'émouvoir.

Fandor était resté immobile. Jacob se demanda ce qu'il attendait. À moins que ce ne soit… ça. Cette clameur mystérieuse et cette orchestration subtile qu'il voulait lui faire apprécier. Rien d'autre ne se produisit et Fandor ne l'entraîna pas plus loin.

Quand Jacob commença à frissonner sous son ciré, le chien reprit la route, guidant son jeune compagnon vers le sentier qui les ramènerait à la maison de l'oncle. Après quelques pas, alors qu'ils commençaient seulement à s'éloigner de la clairière, Jacob se retourna brusquement, alerté par un pressentiment.

Quelque chose lui avait échappé.

Il contempla le bouquet d'arbres, d'herbes et de fleurs et comprit soudain. Cet espace était enchanté, il en était sûr, même s'il n'aurait su dire comment. Son œil magique avait perçu quelque chose d'unique, de puissant et de mystérieux. C'était inscrit dans l'air et dans une foule d'infimes détails que Jacob n'arrivait pas à cerner.

Sur le chemin du retour, Jacob ralentit le pas, malgré la pluie qui avait repris, tant il était absorbé par cette sensation étrange d'avoir frôlé un autre monde.

Léonie les attendait avec une omelette au fromage et d'épaisses tartines à la confiture de bleuets. Elle divisa l'omelette en deux, en servit une part à Jacob dans une assiette et l'autre à Fandor dans son écuelle. Les deux pensionnaires mangèrent avec appétit pendant que Léonie chantonnait doucement en confectionnant des biscuits aux amandes. De temps en temps, elle quittait son plan de travail pour aller remuer un potage ou un ragoût sur la cuisinière.

Une fois rassasié, Jacob constata que la pluie tombait toujours et qu'il n'avait absolument rien à faire à part écouter de la musique sur son lecteur. Il réfléchit un peu puis risqua une question :

— Votre cousin habite-t-il loin d'ici ?

— Personne n'habite près d'ici, répondit Léonie. La maison de mon cousin est à une quinzaine de kilomètres. Mais il n'a pas de poste de télévision…

Jacob lui en voulut d'avoir deviné ses pensées. Il aurait aimé répondre quelque chose de brillant pour lui montrer qu'il n'était quand même pas si facile à percer, mais il ne trouva rien. Faute de mieux, il résolut de retourner au grenier. En route, il s'arrêta dans la bibliothèque, dont il fit d'abord le tour, histoire de s'assurer qu'il était bien seul. Il salua d'une main effrontée son sosie au-dessus du foyer et se dirigea vers la section où son parrain collectionnait les éditions de contes de sorciers et de fées. Il n'eut pas à chercher : quelqu'un avait choisi un livre pour lui ! Un exemplaire de *Barbe-Bleue* avait été déposé sur la table basse devant les rayons.

Pendant un moment, il eut envie de laisser le livre exactement où il était, histoire de ne pas se laisser dicter ses lectures. Mais la page couverture de l'ouvrage, avec cet homme au regard diabolique et à la barbe bleutée, l'intriguait beaucoup.

Jacob s'installa sur son matelas au grenier et se plongea dans sa lecture. Après l'avoir lu jusqu'à la fin, il referma le livre et tendit l'oreille. Il avait cru percevoir un bruit dans le tas de vieilleries au fond du grenier, mais ce n'était qu'un tour de son imagination. Une vague angoisse l'étreignait. En près de treize ans d'existence, il avait affronté un nombre incalculable de créatures effroyables, des êtres féroces, cruels, répugnants, épouvantablement dangereux. Ces créatures évoluaient dans un univers sonore et visuel en trois dimensions ; elles grognaient, soufflaient, bondissaient, montraient des crocs, déployaient des ailes, si bien que Jacob craignait parfois qu'elles lui sautent en pleine figure. Tout cela se passait sur un écran, bien sûr, mais n'était-ce pas mille fois plus épeurant que des monstres sur papier ? Et pourtant…

Pourtant, cette histoire de Barbe-Bleue – un homme à la barbe bleue, c'est tout, pas même un véritable monstre hideux! – avait réussi à le troubler. Il avait d'ailleurs été surpris qu'un simple livre puisse l'ébranler à ce point. Le parallèle avec la réalité y était peut-être pour beaucoup, songea quand même Jacob. L'interdiction de Barbe-Bleue à propos de cette porte à ne jamais ouvrir n'était pas sans rappeler les paroles de Théodore Jobin. C'était sûrement lui qui avait déposé ce livre sur la table à l'intention de Jacob. N'était-ce pas une sorte d'avertissement? Sinon une menace?

Barbe-Bleue avait assassiné ses sept premières épouses avant de se remarier une nouvelle fois. Peu après le mariage, il avait quitté sa femme, soi-disant pour effectuer un important voyage. Avant de partir, il lui avait remis un lourd trousseau de clés en l'invitant à bien profiter de toutes les pièces de son immense château. Toutes... sauf une. Une des clés du trousseau ouvrait une porte menant au sous-sol et Barbe-Bleue défendait formellement à son épouse de s'en servir. Elle ne devait ouvrir cette porte sous aucun prétexte.

Or la pauvre n'avait pas su résister à la curiosité. Elle était descendue dans la cave interdite et y avait découvert les corps des autres épouses, suspendus au-dessus d'une flaque de sang séché. Barbe-Bleue, qui avait seulement fait semblant de partir, surprenait alors son épouse et menaçait de la tuer en lui tranchant la gorge. La jeune femme échappait miraculeusement à cette fin tragique grâce à l'intervention de ses frères, mais la tension montait jusqu'à devenir insoutenable avant l'arrivée des sauveteurs.

Jacob déglutit. Les deux interdictions étaient trop similaires. Que savait-il de Théodore Jobin, sinon ce qu'il avait lui-même raconté? Et qui disait que c'était vrai? Comment écarter la possibilité qu'il soit plus dangereux qu'il n'en avait l'air? Peut-être s'était-il brouillé avec son frère après avoir lui-même commis un geste condamnable? S'il n'y avait rien de honteux dans son existence, pourquoi lui interdisait-il aussi sévèrement l'accès d'une pièce? Et pourquoi l'avait-il menacé si durement la veille? Les paroles de son parrain lui revinrent. «Si jamais tu oses franchir cette porte sans ma permission, tu n'auras pas assez de toute ta vie pour le regretter.»

Un frisson courut dans le dos de Jacob et il en voulut à son parrain de lui infliger des émotions aussi désagréables. Pour se rassurer, il se dit que l'interdiction n'était qu'une lubie de vieillard. Sans doute entassait-il dans ce sous-sol de simples souvenirs particulièrement précieux à ses yeux? Théodore Jobin avait déjà clairement démontré qu'il était de nature assez sauvage et très jaloux de ses espaces privés. Au fond, ce sous-sol dont l'accès lui était défendu n'était qu'une sorte d'extension des fameux quartiers privés. N'empêche! Jacob ne se sentait guère rassuré et il aurait bien aimé que Fandor soit à ses côtés, mais la bête était restée dans la cuisine avec Léonie. Jacob décida de l'y retrouver. Il n'avait pas du tout envie de rester seul.

En passant devant la fameuse porte interdite, Jacob ne put s'empêcher d'y coller une oreille en tournant délicatement la poignée afin de vérifier si la porte était verrouillée. Elle l'était. Théodore Jobin ne s'était pas amusé à laisser la voie libre pour exciter la curiosité de son filleul. Il craignait suffisamment que quelqu'un accède à ces lieux pour utiliser une clé afin d'en défendre l'entrée. Le parallèle avec le conte de *Barbe-Bleue* n'était que plus saisissant.

Jacob avait prévu remettre l'exemplaire de *Barbe-Bleue* sur la table où il l'avait cueilli. Or, au moment de l'y abandonner, il découvrit un autre conte : *La Belle au bois dormant.* C'était un grand livre à couverture rigide dont le fini texturé imitait un velours bleu. Le titre, gravé en lettres d'or, était décoré d'arabesques. Jacob accepta la suggestion de lecture même si le titre suscitait en lui beaucoup moins d'intérêt que celui de *Barbe-Bleue. La Belle...* ce mot à lui seul évoquait une histoire de fille, il en était sûr. Et pourtant, il la lirait. Parce qu'il sentait que quelqu'un tentait de lui dire quelque chose au moyen de ces récits. S'il était condamné à avancer comme dans un film, aussi bien aller jusqu'au bout !

Avant de remonter au grenier, Jacob s'arrêta à la cuisine. Fandor n'y était pas. Léonie se servait du thé en grignotant un biscuit.

— C'est vous qui l'avez choisi pour moi ? s'informa Jacob en lui montrant le livre.

Léonie nia d'un geste de tête.

— Je m'en doutais. C'est lui ! J'aimerais le voir...

— Il s'est retiré dans ses quartiers, répondit simplement Léonie.

— J'avais déjà remarqué, répliqua Jacob avec humeur. Mais vous devez bien le visiter de temps à autre... Il ne prépare sûrement pas ses repas lui-même !

Léonie garda le silence. Elle continuait de poser sur Jacob un regard bienveillant qui ne trahissait aucun malaise, comme si elle jugeait tout à fait normal que Théodore Jobin s'isole ainsi du reste du monde, et plus particulièrement de son filleul dont la présence était pourtant rare.

Jacob quitta la cuisine sans oser demander où était Fandor. Parti à la chasse aux écureuils ou près du vieux gribou ? Au pied de l'escalier menant au grenier, Jacob trouva une théière dont le couvercle servait de tasse et une assiette remplie de biscuits aux amandes. Léonie avait dû profiter de son arrêt à la bibliothèque pour lui laisser cette collation. Il réussit à tout monter, s'installa dans son lit, se versa une tasse de thé – la première de son existence –, goûta au liquide parfumé sans pouvoir décider s'il l'appréciait, jeta un regard au ciel criblé de pluie et ouvrit le grand livre recouvert de velours bleu sans se douter que sa vie ne serait plus jamais la même.

LE CHEVALIER

Après seulement quelques pages, Jacob faillit abandonner sa lecture. L'histoire l'ennuyait. En gros, une princesse victime d'un mauvais sort se piquait un doigt avec une aiguille et tombait endormie. Rien de bien palpitant ! Il poursuivit malgré tout en songeant qu'il finirait bien par trouver pourquoi ce conte, écrit il y a plusieurs siècles et supposément célèbre – selon ce qui était mentionné sur la couverture –, avait réussi à ne pas tomber dans l'oubli. À la dernière page, Jacob n'avait toujours pas trouvé la réponse, mais il admit que sa sœur, qui avait tant aimé Cendrillon, aurait sans doute apprécié cette autre histoire de princesse lorsqu'elle était petite.

Il allait refermer le livre lorsqu'il remarqua que deux pages, au milieu de l'ouvrage, étaient restées collées. Il les sépara en prenant soin de ne pas les déchirer et découvrit une grande illustration, la seule du livre, étalée sur deux pages. L'image représentait un chevalier sur une magnifique monture dans une forêt extraordinairement dense et touffue. Des jeux de lumière suggéraient une atmosphère mystérieuse. Le chevalier galopait, tout à sa mission de sauver la princesse du conte.

Jacob resta longtemps à contempler cette image, peu à peu saisi d'un bienheureux vertige. Il avait l'impression de retourner en terre d'enfance. Il renouait enfin avec ses étés enchantés occupés à courir les bois en compagnie de Simon-Pierre. Il revivait cet instant magique où il quittait la peau de Jacob Jobin pour devenir roi, prince ou chevalier. Comment avait-il pu oublier l'extraordinaire puissance de ces jeux imaginaires où, soudain, tout devenait possible ? Simon-Pierre et lui se sentaient alors assez forts et courageux pour réussir les plus nobles et les plus périlleuses missions.

Soudain, le temps s'arrêta. L'espace autour de lui s'abolit. Le manoir disparut et le grenier avec lui. Il n'existait plus rien d'autre que ce cavalier intrépide fonçant à toute allure, le cœur aux abois. Jacob retrouvait les pleins pouvoirs de son enfance. Il sentit alors que ce cavalier, c'était lui.

Ses jambes cognaient aux flancs de sa monture et la longue crinière sombre du cheval lui fouettait la figure. Un corbeau détala près d'eux, ses larges ailes claquant si fort que pendant un bref moment, Jacob ne put s'empêcher de fermer les yeux. En les rouvrant, il aperçut le château de la Belle au bois dormant, avec son donjon et ses hautes tourelles, et presque aussitôt son cheval se dressa sur ses pattes arrière en poussant un hennissement d'effroi.

Une barrière de ronces acérées s'élevait devant eux. L'emmêlement lugubre poussait à vitesse folle, des branches épineuses surgissant de partout pour grimper jusqu'au ciel. Bientôt, Jacob ne réussit même plus à distinguer le château derrière les ronces.

Plus rien ne bougeait, maintenant, et le silence s'alourdissait. Jacob attendit, tous ses sens en alerte. Il n'entendait que le souffle de sa monture aux naseaux frémissants. Il devait rebrousser chemin. Il n'y avait pas d'autre issue. Pourtant, cela lui semblait impossible.

La princesse existait, désormais. Elle était prisonnière d'un sommeil éternel dont lui seul pouvait la libérer. Il ne pouvait pas l'abandonner. C'était sa mission de la sauver. Il n'avait pas le droit de se défiler.

Jacob éperonna sa monture et fonça vers la barrière de ronces. Le cheval émit un grognement d'effroi juste au moment de traverser le mur de branches épineuses. Solidement casqué et cuirassé, Jacob se pencha sur sa monture pour lui protéger la tête, mais à cet instant, comme par magie, la palissade s'ouvrit sur leur passage.

Ils galopèrent jusqu'au château. Jacob abandonna son destrier devant la haute porte cloutée, qu'il franchit sans peine. La vaste demeure était abandonnée. Comme c'était écrit dans la version du conte qu'il avait lue, Jacob repéra l'étroit escalier en spirale menant à la tour principale. Tout en haut, il trouva la princesse étendue sur un drap, les yeux fermés, ses longs cheveux roux flottant autour d'elle. Sa peau extraordinairement pâle brillait d'un éclat fabuleux, comme si elle eut avalé la lune ou quelque astre lumineux. Jacob s'approcha doucement en songeant qu'elle était mille fois plus belle que la princesse du conte. On aurait dit une fée.

Ses narines frémirent, puis elle battit des paupières et Jacob fut soudain ébloui par la forêt de ses yeux, d'un vert profond, pailleté d'éclairs dorés. Il lui sembla alors que le printemps fleurissait en lui. Jacob ferma les yeux pour mieux se laisser imprégner par le sentiment merveilleux qu'il éprouvait et il émit secrètement le vœu fou de ne plus jamais quitter cette jeune fille. Il avait l'impression d'être né pour la rencontrer et que ce n'était qu'à ses côtés que tout prendrait enfin sens.

Lorsqu'il ouvrit les yeux, le sang figea dans ses veines et son cœur oublia de battre. La jeune fille avait disparu.

Jacob n'avait jamais éprouvé un tel déchirement. Il avait pourtant l'habitude de s'évader dans des mondes imaginaires et d'en revenir. Mais cette fois, plus que jamais, il y avait vraiment cru. Il aurait juré que cette jeune fille au regard de forêt et à la chevelure de feu n'était pas une simple construction de l'esprit. Il aurait juré qu'elle existait pour vrai…

Jacob contemplait tristement les draps de son lit du grenier en refoulant un cri qui montait dans sa gorge.

Il serra les mâchoires. Longtemps. Puis il inspira plusieurs fois, profondément. Rien n'y fit. Son accablement restait aussi grand. Il se sentait incapable de renoncer à cette jeune fille. Il ne pouvait pas accepter qu'elle disparaisse de sa vie.

Un mouvement, près de lui, l'arracha à son obsession. Jacob découvrit qu'il n'était pas seul. Fandor venait de grimper dans le lit et il le gratifiait maintenant d'un coup de langue en pleine figure. Jacob referma le livre et caressa les lettres du titre du bout des doigts. Puis il se tourna vers Fandor et lut tant de bonté dans ses grands yeux caramel qu'il l'étreignit. Comblé par cette démonstration d'affection, Fandor poussa un bruyant soupir de parfait contentement.

Jacob redescendit au rez-de-chaussée, suivi de son compagnon dont les pas tombaient pesamment sur chaque marche d'escalier. Arrivé devant la bibliothèque, Jacob voulut y laisser le grand livre sur la table où il l'avait cueilli, mais au même moment, Léonie sortit précipitamment de la cuisine et se jeta sur lui.

— Quelle bénédiction que tu sois là, mon beau Jacob ! Il faut absolument que tu m'aides. J'ai besoin de toi.

Elle s'arrêta, laissa retomber ses mains qu'elle avait pressées sur les épaules de Jacob et les frotta sur son tablier comme pour dissiper sa nervosité avant de continuer.

— La femme de Max… mon cousin… ne va pas bien. Max m'attend devant la maison. D'habitude, quand je dois m'absenter, c'est lui qui me remplace ici. Mais cette fois, cette rare fois, c'est impossible. Alors, j'ai besoin de toi…

— Mais… je ne sais pas faire la cuisine… balbutia Jacob.

Léonie ébouriffa affectueusement la chevelure de Jacob.

— Bien sûr… Je te demande seulement de prendre la relève auprès de ton parrain. Je ne pars pas longtemps. Il y a déjà plusieurs repas dans le frigo. C'est pour toi… Théodore n'avale que des liquides depuis ce matin. Tu trouveras des bouteilles de… jus fortifiant… dans la porte du frigo. Assure-toi qu'il ait toujours un verre rempli de ce breuvage à son chevet. Mais le plus important, c'est... ça.

Elle sortit d'une poche de son tablier un minuscule flacon coiffé d'un bouchon de liège.

— Deux fois par jour, à midi et à minuit, je lui administre trois gouttes de ce médicament. Lorsqu'il se sent bien, il les prend lui-même. Sinon... tu dois l'aider. Ce médicament est très important et il doit être pris à heure fixe. Un retard d'une seule heure pourrait être catastrophique.

Léonie se tut et elle attendit, le regard suppliant, comme s'il eut été possible que Jacob refuse. Il hocha la tête en signe d'assentiment.

— Oui... Oui, bien sûr, promit-il en tendant la main pour recevoir le flacon.

Léonie disparut aussitôt.

La porte était à peine refermée derrière elle lorsque Jacob constata soudain qu'il n'avait aucun moyen de la rejoindre et qu'il n'avait aucune idée de quand elle reviendrait. Il courut vers la porte, l'ouvrit et aperçut le camion du cousin de Léonie filant sous la pluie.

La vieille horloge sur pied du vestibule marqua sept coups. Jacob était resté dans sa chambre plus longtemps qu'il ne l'avait cru. Il jugea qu'il avait vécu son lot d'émotions pour la journée. Pourtant, il n'avait que marché, rêvassé et lu... Jacob fourra le flacon de médicament dans une de ses poches et partit à la recherche de Fandor. Il le trouva étendu devant l'âtre dans la cuisine.

Jacob découvrit dans la porte du frigo sept bouteilles remplies d'un liquide verdâtre très peu appétissant. Plusieurs barquettes recouvertes d'une pellicule plastique étaient disposées sur une tablette. Léonie avait tout cuisiné elle-même. Quand ? Jacob eut l'impression que le départ de Léonie était planifié. Chaque barquette était identifiée par une étiquette sur laquelle Léonie avait écrit : bœuf à l'orange, lasagne gratinée, poulet chasseur, raviolis à la crème…

Jacob choisit la lasagne. Il allait allumer la cuisinière lorsqu'il remarqua un four micro-ondes près de l'évier. « Tiens donc ! songea-t-il avec humeur. Pas de télé mais un micro-ondes… » Le pire, c'est qu'il aurait juré que cet appareil n'était pas là avant. Il partagea le plat de lasagne avec Fandor, puis grignota quelques biscuits avec un verre de lait.

Il était maintenant vingt heures. La maison était silencieuse. Dehors, le ciel continuait de se déchaîner. Les arbres tanguaient dangereusement et leurs branches griffaient les fenêtres. Jacob résolut de ne pas dormir au grenier, au cas où l'un des chênes centenaires s'écraserait sur la toiture. C'était sûrement une crainte ridicule, mais tant pis.

De toute manière, il n'en était pas à une extravagance près. N'était-il pas présentement en vacances, seul et loin de tout, au beau milieu d'une forêt perdue, à jouer les infirmiers auprès d'un parrain malcommode ? En quelques jours, sa vie avait été passablement chamboulée. Ce vieux manoir abritait des êtres peu communs et recelait plusieurs mystères. Une porte interdite… Une bibliothèque remplie d'histoires de fées…

Tout cela était sans doute bien intrigant, mais pour l'instant, Jacob était surtout préoccupé par l'absence du moindre poste de télévision. Si seulement il pouvait dénicher quelque part un petit appareil de rien. Il oublierait le reste et le temps filerait sans qu'il s'en aperçoive pendant qu'il franchirait les vingt-sept mondes jusqu'au Grand Vide Bleu.

Il eut soudain envie de parler à sa sœur. Pour rien, sinon reconnaître sa voix de chipie. Il avait besoin de sentir que son ancienne vie, celle qu'il exécrait tant, n'était pas totalement disparue. Il avait aussi envie de raconter à quelqu'un ce qui lui arrivait, histoire de dissiper un peu ce climat de trop grande étrangeté. S'il avait pu, il aurait téléphoné à son ami Éloi. Il avait une bonne oreille et il comprenait presque toujours tout. En plus, il avait ce talent pour recevoir des confidences sans porter de jugement. Éloi avait une personnalité magnifique et sans doute aurait-il été très populaire au Collège Saint-Barnabé s'il avait été doté d'un physique moins ingrat. À treize ans, Éloi pesait près de cent kilos. Si au moins il avait été grand… Mais le pauvre mesurait tout juste un mètre soixante, ce qui lui valait le sobriquet méchant de « petit-gros-dégueu ». Éloi était parfaitement au courant.

Jacob soupira, puis se tourna vers Fandor.

— La vie est moche, le savais-tu ? C'est comme ça. On n'y peut rien.

Fandor fixait Jacob avec l'air de dire qu'il n'était pas d'accord.

— Que voudrais-tu que je fasse ? Pour Éloi, par exemple. Casser la gueule à tous ceux qui se moquent de lui ? À ce compte-là, j'aurais dû commencer par casser la gueule de cette grande nigaude d'Éliane, non ?

Depuis ce qui était arrivé à Simon-Pierre, Jacob s'en voulait beaucoup de s'être laissé impressionner par les propos de cette fille qui les avait épiés en pleine mission imaginaire. Au lieu de rester complice de son frère, il avait pris ses distances après qu'Éliane se fut moquée d'eux. Il n'avait pas pu supporter les railleries des camarades de sa classe. Les filles, surtout… Jacob savait bien qu'il était un peu vieux pour jouer à Sire Lancelot, mais il en tirait encore beaucoup de plaisir. Simon-Pierre, qui avait quinze ans, aurait facilement pu se défendre en disant qu'il inventait ces jeux pour distraire son petit frère. Pourtant, il ne l'avait pas fait. Il était resté solidaire, lui.

Jacob n'aimait pas se rappeler cet épisode de sa vie, mais après avoir renoué avec ses jeux d'enfance en s'improvisant chevalier de la Belle au bois dormant, le souvenir de cet après-midi où il avait rapporté à Simon-Pierre les paroles d'Éliane lui revenait avec une acuité nouvelle.

Simon-Pierre avait pâli en entendant ce que la pimbêche avait dit. Le coup avait porté. Jacob se souvenait clairement de la réaction de son frère. Il avait d'abord paru hébété, puis cruellement blessé.

— Elle a dit ça ? ! Éliane… Tu en es sûr, Jacob ? Elle nous a vraiment traités… d'enfants arriérés ?

Jacob ne l'avait pas remarqué sur le coup, mais Simon-Pierre avait prononcé ce prénom… Éliane… d'une voix si grave. Comme si elle avait eu beaucoup d'importance pour lui.

Simon-Pierre n'était pas furieux, mais… déçu. Oui… horriblement déçu. Son visage s'était fermé et Jacob avait été surpris par cette froideur, si rare chez lui. Simon-Pierre s'était tu pendant un long moment avant d'ajouter sur un ton faussement enjoué :

— Dommage pour elle ! Elle n'a rien compris, c'est tout. Elle ne sait pas ce qu'elle manque, hein, Jack ?

Jacob avait opiné de la tête. Mais le lendemain, il avait lâchement annoncé à Simon-Pierre qu'il n'avait plus envie de s'adonner à leurs jeux. Simon-Pierre n'avait rien répliqué. Il l'avait contemplé d'un regard triste et Jacob avait eu l'impression qu'en quelques secondes, son frère s'était déjà éloigné de lui. Maintenant qu'il le revoyait en souvenir, Jacob comprenait qu'à cet instant précis, Simon-Pierre avait coupé le dernier fil important qui le reliait encore au reste du monde.

Fandor continuait de soutenir le regard de Jacob.

— Tu ne peux pas comprendre… T'es quand même juste un chien, rouspéta Jacob en prenant un ton badin qui sonnait horriblement faux.

Ces souvenirs lui avaient un peu enlevé le goût de parler à Jacinthe. Du plus loin qu'il s'en souvienne, sa sœur ne lui avait toujours apporté que des ennuis. « Je dois être drôlement désespéré », se dit Jacob alors qu'il composait malgré tout le numéro des Laplante.

Mérédith répondit. En reconnaissant la voix du frère de son amie, elle ne put retenir sa curiosité. Si bien qu'au lieu d'un de ses habituels commentaires sarcastiques, elle demanda :

— Alors… C'est comment ? Jacinthe dit que ton parrain est infect, c'est vrai ?

Il n'eut pas le temps de répondre. Sa sœur avait pris l'appareil.

— Jacob ! T'aurais pu donner des nouvelles avant. C'est pas que je m'inquiète, ajouta-t-elle rapidement, mais… eh bien… c'est quand même la première fois que tu pars si longtemps. Et pour aller chez le vieux fou, en plus ! Alors… c'est comment ?

Jacob venait de faire une découverte surprenante. Même si elle s'en défendait, sa sœur semblait s'être inquiétée. À croire qu'elle éprouverait quelque chose qui pouvait ressembler à de l'affection pour lui. Et, aussi étonnant que cela puisse paraître, alors même qu'elle l'avait si souvent déçu, alors même qu'elle l'avait si souvent blessé en colportant des horreurs sur lui, simplement pour faire l'intéressante auprès de ses copines, Jacob sentit qu'il lui restait encore quelques miettes de tendresse pour sa sœur.

Alors, sans réfléchir, il se mit à raconter. Le vieux manoir, le grenier, les quartiers de l'oncle, Léonie, le sous-sol interdit, Fandor, le tableau dans la bibliothèque, l'étonnante collection de livres, le sentier dans la forêt, Barbe-Bleue, La Belle au bois dormant, le flacon avec les trois gouttes et, bien sûr, l'absence désespérante de tout ce qui pouvait ressembler à un poste de télévision.

Jacob se tut soudain. « Mais qu'est-ce qui me prend ? s'inquiéta-t-il aussitôt. Je suis fou ou quoi ? C'est bien à ma sœur que je viens de confier tout ça ? »

— C'est fascinant ! déclara Jacinthe au bout d'un moment. Mais… bon… ce n'est pas évident pour toi, non ?

Il y avait une réelle sympathie dans sa voix. Jacob dut reconnaître que ça lui faisait un bien énorme.

— Ouais… hasarda-t-il. C'est un peu… troublant… de vivre ici. Surtout maintenant que la vieille cuisinière est partie.

Le frère et la sœur ne dirent plus rien pendant quelques instants.

– Veux-tu… revenir ici ? Je pourrais peut-être convaincre les parents de Mérédith, offrit Jacinthe. Mais je t'assure, c'est moins excitant que je l'avais imaginé. Mérédith est un peu… tache. Là, c'est un miracle qu'elle ne soit pas restée juste à côté. Elle a dû recevoir un appel sur son cellulaire. Sinon, elle me colle tout le temps après. Je n'en peux plus. J'ai besoin d'air. Et puis, elle est snob comme c'est pas possible, cette fille-là. Ça atteint un point où c'est… méchant. Oui, c'est ça. Mais… bon… je ne sais pas pourquoi je te dis tout ça…

« Moi non plus », songea Jacob. Était-ce possible que ce premier éloignement leur soit si salutaire ? Il lui semblait que sa sœur avait changé. À moins que ce ne soit lui ?

— Alors quoi ? Tu veux que j'essaie de te sortir de là ? s'enquit à nouveau Jacinthe.

Jacob contempla l'idée.

— Non, répondit-il. Je dois m'occuper du vieux. Il n'y a personne d'autre.

— Je suis sûre que le père de Mérédith trouverait quelqu'un. Il n'arrête pas de répéter que « dans la vie, tout s'achète ! »

— Peut-être… mais… c'est fou, hein ? J'ai l'impression que ma place est ici. Pour l'instant…

— Bon. Tant pis pour toi… Je l'aurai offert !

Jacinthe avait repris son ton fendant. Jacob bredouilla des remerciements plutôt tièdes pour rester dans le même registre et raccrocha.

Vingt heures quarante-cinq. Et il devait absolument rester éveillé jusqu'à minuit à cause des fameuses gouttes. Si seulement il avait un réveil… À moins qu'il n'administre le médicament un peu avant ? D'ailleurs, si le parrain était en pleine forme, il n'avait qu'à les prendre lui-même, ses sacrées gouttes !

Jacob décida d'aller aux nouvelles. Il prit une bouteille du fameux jus vert fortifiant dans la porte du frigo et se dirigea vers les quartiers privés de Théodore Jobin.

Il accéda d'abord à une sorte d'antichambre très dépouillée, une pièce de dimension réduite, sans fenêtre, meublée d'un fauteuil et d'une table basse où étaient disposés une carafe d'eau et un verre. Une porte de bois sombre menait à une immense chambre au fond de laquelle Jacob aperçut un lit étroit, de ceux qu'on trouve dans les hôpitaux.

Le reste de la pièce contenait peu de mobilier : encore un fauteuil, une table basse et une commode à plusieurs tiroirs. Tous ces meubles étaient réunis près du lit, laissant un vaste espace vide.

Une forte odeur picota le nez de Jacob. Il crut déceler des senteurs de soufre et de camphre. Son père lui avait appris à reconnaître divers éléments et substances à un âge où d'autres enfants apprennent à nommer les animaux de la ferme. Un sourire se dessina sur les lèvres de Jacob alors qu'il se souvenait de son père comme d'une sorte de magicien avec sa mallette de cuir noir remplie de fioles. Jacob évalua qu'il n'avait guère plus de trois ou quatre ans à l'époque. Son père avait encore le regard pétillant ; sans doute était-il alors passionné par son travail. Les mots qu'il lui avait appris étaient restés imprégnés dans la mémoire de Jacob. Les odeurs également.

Le mur du fond était presque entièrement vitré. Jacob s'approcha en songeant qu'il aurait pu s'amuser à épier son parrain en se promenant simplement dehors. Théodore Jobin devait être un grand amant de la nature. La maison avait visiblement été rénovée afin qu'il puisse profiter de cette large vue sur la forêt. Dehors, il pleuvait encore à verse et la nuit était bien tombée, mais de faibles lumières accrochées à quelques arbres clignotaient joliment, un peu comme des lucioles dans l'obscurité.

— C'est moi… avertit Jacob en s'approchant du lit. Je vous apporte votre jus de sauterelles…

Rien ne sembla remuer sous les couvertures. Jacob fit encore quelques pas. Théodore Jobin dormait. Étendu dans son lit étroit sous plusieurs couvertures, il paraissait encore plus vieux, plus vulnérable. Son souffle était régulier, mais entrecoupé de sifflements qui semblaient trahir une difficulté respiratoire. Un verre à demi rempli de liquide verdâtre était à portée de main sur un plateau roulant, comme dans les hôpitaux. Jacob n'osa pas trop s'approcher afin de ne pas réveiller son parrain. Il allait repartir lorsqu'un objet accrocha son regard. Il ne l'aurait sans doute jamais remarqué si les lumières extérieures n'avaient pas fait luire le métal dans la pénombre.

C'était une toute petite clé accrochée à une fine cordelette suspendue à un des poteaux du lit et à moitié dissimulée par un fil muni d'une sonnette, sans doute pour alerter Léonie en cas d'urgence. Jacob devina immédiatement à quoi servait cette clé. Comme il sut qu'il allait la prendre. Ses arguments étaient déjà choisis. Léonie l'avait en quelque sorte nommé gardien des lieux. C'est lui qui devait veiller sur son parrain et non le contraire, lui qui détenait l'autorité, donc, d'une certaine manière. D'ailleurs, n'était-il pas un peu prisonnier dans cette vieille demeure ? Si l'oncle ou quelqu'un d'autre dissimulait quelque chose de répréhensible ou de dangereux dans ce sous-sol secret, il devait être au courant. Qui sait ? Sa vie était peut-être en danger… Et si elle ne l'était pas, alors pourquoi faire tant de simagrées pour lui interdire l'accès des lieux ?

À vingt et une heures et trente-quatre minutes, Jacob Jobin enfonça la clé dans la serrure de la porte basse menant au sous-sol. Au dernier moment, il hésita. La voix de son parrain résonnait en lui : « Si jamais tu oses franchir cette porte sans ma permission, tu découvriras le sens véritable des mots épouvante et souffrance. Et tu n'auras pas assez de toute ta vie pour le regretter. »

Il resta un instant immobile, le cœur battant. Puis, il tourna la clé et ouvrit la porte.

LE LIVRE

À première vue, c'était un sous-sol comme tant d'autres. Un escalier étroit, en pente raide, une vague odeur de moisissure et cette obscurité gênante, un peu sinistre. Jacob chercha en vain un interrupteur. Malgré ses pas prudents, il faillit rater une marche et dégringoler dans l'escalier.

Il regretta de ne pas avoir emmené Fandor, songea à remonter, mais résolut plutôt de n'effectuer qu'une courte visite exploratoire, quitte à revenir plus tard s'il le jugeait opportun. Une fois ses yeux un peu mieux habitués à l'obscurité, Jacob distingua une table de bois qui devait servir d'établi le long du mur devant l'escalier. Parmi les outils – un vieux marteau, une scie rouillée et quelques tournevis – et les nombreux bocaux remplis de vis et de clous, Jacob dénicha une bougie plantée dans un morceau de bois et un pot de verre rempli d'allumettes.

Le sous-sol devait être mal isolé. La flamme de sa bougie vacillait dangereusement, menaçant de s'éteindre sous l'effet de brusques courants d'air. Curieusement, l'endroit était très peu encombré. Jacob se souvint d'avoir remarqué une remise dans le jardin, ce qui pouvait expliquer le peu de matériel entreposé ici. De plus, malgré les odeurs typiques d'un lieu peu fréquenté, tout était propre. Le sol de béton avait été balayé sinon lessivé et on ne retrouvait guère de trace de poussière. Jacob poursuivit sa visite à la lueur de sa bougie en se demandant pourquoi son parrain avait tant insisté pour lui défendre l'accès de ces lieux.

Il allait repartir, déçu malgré tout de n'avoir rien trouvé d'intéressant, lorsqu'il avisa une porte menant à une pièce de dimension réduite, à peine plus grande qu'une garde-robe à en juger par les deux murs apparents, et qui devait sans doute servir de rangement.

Une angoisse inexplicable étreignit Jacob. Ses entrailles se nouèrent. Son œil magique l'alertait d'un danger. Pourtant, il tourna la poignée et poussa la porte. Le mouvement d'air fit trembler la flamme de la bougie qu'il tenait. Il repéra un porte-bougie cloué au mur près de la porte et s'empressa d'allumer la bougie à demi consumée qui y était encore plantée.

Une table était disposée au centre de la minuscule pièce. Et sur cette table, il y avait un livre.

Un ouvrage de taille tout à fait normale et d'apparence toute simple, sans revêtement luxueux, sans dorures ni fioritures. Et pourtant… Jacob sut immédiatement que ce livre était la clé de l'interdit.

Il s'approcha. Ses mains tremblaient. La flamme dansait dans la pénombre. Il déposa la bougie sur la table de manière à bien éclairer le livre.

Jacob étouffa un cri.

Les lettres du titre étaient tracées en creux sur la couverture de toile rouge. Il y était écrit : *La grande quête de Jacob Jobin.*

Que renfermait ce livre ? L'avertissement sinistre de son parrain résonna à nouveau dans sa tête. Une phrase surtout. « Tu découvriras le sens véritable des mots épouvante et souffrance. » Jacob sentit soudain que de vrais dangers et de réelles épreuves le guettaient.

Il aurait pu quitter la pièce, remonter l'escalier. Mais c'était déjà trop tard. Il était incapable de reculer. Il eut l'impression qu'à partir de cet instant, encore une fois, tout était décidé pour lui. Jacob allongea le bras et posa une main sur le livre. Aussitôt, une douleur fulgurante courut jusqu'à son épaule avant d'incendier tous ses membres. Il se plia en deux sous le choc et se sentit suffoquer. La panique l'envahit. Il voulut crier – Fandor serait peut-être accouru – mais aucun son ne sortit de sa bouche. La douleur le traversait toujours, électrisant son corps parcouru d'ondes brûlantes. On aurait dit un poison fusant dans ses veines.

Jacob s'écroula sur le sol. Pendant un temps qui lui parut interminable et au cours duquel il aurait accepté qu'on lui tranche un bras ou une jambe pourvu que cesse la torture, il fut agité de violents soubresauts. Il n'arrivait plus à engouffrer suffisamment d'air. C'était comme si une puissance maléfique l'asphyxiait en le laissant respirer juste assez pour le maintenir en vie.

Et puis soudain, plus rien. La douleur disparut d'un coup. Alors commença un bombardement d'images ahurissantes. Des monstres épouvantables surgissaient de toutes parts dans un déchaînement d'horreur. Des créatures sanguinaires, hirsutes, grotesques, munies de crocs, de cornes, de griffes, prêtes à tout dévorer, à tout détruire. Mais voilà qu'elles s'éclipsaient tout à coup, remplacées par un peuple enchanté de fées, d'elfes, de gnomes et de lutins, qui disparaissaient à leur tour alors que les forces maléfiques attaquaient à nouveau avec de petits êtres sournois, détestables et sans pitié. D'affreuses bêtes velues aux yeux globuleux sautillaient autour de Jacob. L'une d'elles grimpa sur sa poitrine et le pinça méchamment. À peine eut-il le temps de la repousser qu'une créature monstrueuse battit le sol de sa lourde queue épineuse à deux pas de lui en relâchant une odeur si fétide que Jacob fut pris de nausées.

Et enfin, elle apparut. Sa princesse fée à la chevelure de feu. Elle était debout, cette fois, mince et gracieuse, pâle et pourtant si lumineuse. Sa main droite était posée sur son cou et ses doigts fins effleuraient un objet que Jacob ne pouvait voir. L'apparition ne dura qu'un moment, vite remplacée par des bêtes hurlantes qui foncèrent sur Jacob.

Lorsque ces visions s'évanouirent enfin, Jacob était roulé en boule sous la table et il pleurait. De peur, d'impuissance, de désespoir aussi. Et lorsqu'il crut enfin avoir endigué le torrent, il se remit à sangloter en songeant tout à coup à Simon-Pierre. Jacob aurait tout donné pour qu'il soit là, à ses côtés. Lui seul aurait su trouver des mots pour l'apaiser. Simon-Pierre savait toujours trouver les mots. Il inventait une histoire ou encore il prononçait quelques phrases toutes simples et pleines de sagesse. Des phrases auxquelles on pouvait s'accrocher. « Tout est possible, Jacob… N'aie pas peur… » « Relève-toi, Jacob. Tu es fort et courageux. Tu peux y arriver… »

La digue venait de sauter. La terreur et l'angoisse n'avaient plus de prise sur Jacob, parce qu'une peine venue du fond de ses entrailles sourdait violemment, inondant tout. Jacob pleura encore longtemps en se remémorant non seulement leurs courses folles et leurs luttes héroïques dans des royaumes inventés, mais aussi tous ces petits moments de complicité magique qu'ils avaient partagés. Avant de l'abandonner, avant de rendre les armes et d'oublier tout ce en quoi il croyait, Simon-Pierre Jobin avait été bien plus qu'un grand frère. Un enchanteur, un mentor, un protecteur, une source d'inspiration, un ami. Il avait réussi à lui faire croire que rien n'était impossible, et que lui, Jacob Jobin, était assez grand et puissant pour conquérir tous les territoires et vaincre tous les ennemis.

La peine ne disparut pas, mais les larmes se tarirent. Jacob était toujours allongé sur le sol de béton, épuisé, vidé. Ses dents claquaient et il grelottait. Il avait l'impression d'avoir couru jusqu'au bout du monde tant sa fatigue était grande. Il allait s'abandonner au sommeil lorsqu'il perçut des jappements. Jacob se releva péniblement, sentit une surface humide sur sa cuisse droite et mit plusieurs secondes à comprendre. Le flacon de verre ! Le bouchon de liège avait sauté et tout le précieux liquide s'était répandu.

De l'autre côté de la porte damnée, Fandor accueillit Jacob avec un empressement frénétique. Le pauvre chien voulait clairement guider son jeune compagnon vers quelque chose ou quelqu'un. Jacob courut à l'horloge.

Deux heures du matin! Il repartit en trombe vers les quartiers de son parrain, suivi de Fandor.

Théodore Jobin était si pâle qu'on voyait battre ses veines sous la peau fine des tempes. Des gouttelettes perlaient sur son front.

— Je… je reviens tout de suite… promit Jacob en caressant gauchement l'épaule du malade.

Le vieil homme promena un regard vide autour de lui avant de refermer les yeux. Un faible gémissement s'échappa de ses lèvres.

Jacob fonça vers la cuisine et décrocha le téléphone fixé au mur pour composer le numéro des services d'urgence, mais il découvrit qu'il n'y avait plus de tonalité.

— C'est un cauchemar. Je vais me réveiller. Je VEUX me réveiller, gémit-il en secouant l'appareil.

Jacob fila vers la porte d'entrée. Dehors, la pluie tombait drue et le sol était jonché de branches d'arbre arrachées par la tempête. Le vent mugissait en malmenant tout sur son passage. Jacob referma la porte et retourna à la chambre de son oncle.

Fandor était resté au chevet du vieil homme.

— Tout ça, c'est de ma faute! explosa Jacob. J'ai gaffé. Je suis con. Tellement con! Il le savait, lui. C'est horrible, en bas. Il avait raison. Et maintenant… C'est trop tard.

Des paroles confuses l'arrachèrent à son monologue. Son oncle délirait-il? Jacob s'approcha et tendit l'oreille dans l'espoir de saisir son discours.

— Trop tôt… Retourner… Plus tard… Attendre…
Youri… Youri !

On aurait dit un message codé. Jacob s'en voulait de
ne pas saisir. Il sentait que son oncle tentait de lui expliquer
quelque chose d'important. Après son séjour dans la cave,
il n'osait plus se méfier de Théodore Jobin. Son interdiction était bienveillante. Il avait tenté de l'avertir. Avait-il
été victime du livre lui aussi ? Avait-il éprouvé les mêmes
douleurs ? Le même désespoir ?

— Attendre… Garder… clé… Retourner…

Cette fois, Jacob comprit que son oncle savait qu'il
avait bravé l'interdit. Et qu'il souhaitait le voir retourner
là-bas. Plus tard…

— Quand ? demanda Jacob d'une voix blanche, alors
même qu'il lui semblait impossible d'envisager une autre
visite, aussi brève fut-elle.

L'ombre d'un sourire glissa sur les lèvres de Théodore
Jobin. Il était soulagé d'avoir été entendu.

— Tu sauras, répondit-il.

Jacob laissa ces paroles s'ancrer en lui.

— D'accord, s'entendit-il promettre en posant une
main moite sur le front brûlant de son parrain. D'accord…
Mais avant, il faut faire quelque chose… J'ai brisé le flacon.
Il n'y a plus de médicament… plus de gouttes. Léonie est
partie… Et la ligne téléphonique ne fonctionne pas…

En résumant la situation, Jacob se rendit compte à quel point elle était grave. Or, étrangement, Théodore Jobin souriait pour de bon maintenant.

— J'ai… voulu t'empêcher… Mais… ça devait arriver, dit-il avec effort. C'est… toi. Je… je n'avais… pas compris… C'est toi…

Ses paupières se refermèrent sur ces derniers mots. Jacob glissa aussitôt un doigt sous le nez du vieil homme. Il respirait toujours. Mais pour combien de temps encore ?

« Personne n'habite près d'ici », avait dit Léonie. La première ville était à une quinzaine de kilomètres. C'est là que vivait le cousin. C'est là que Jacob trouverait du secours. C'est là qu'il devait se rendre par ses propres moyens.

Quelques mois plus tôt, tous les élèves du même niveau que Jacob avaient dû courir un kilomètre. Stéphanie Brazeau avait abandonné en cours de route, Éloi aussi et Anne-Sophie Labonté s'était écroulée à la ligne d'arrivée. Jacob s'était maintenu dans la queue du deuxième peloton. Ni mauvais, ni bon.

Il n'y avait pas d'autre choix.

— Toi, tu restes avec lui, commanda-t-il à Fandor. Attends-moi. Je vais revenir… Promis.

Jacob dut bientôt admettre qu'il n'arriverait jamais à franchir une telle distance au pas de course. Quinze kilomètres sous cette pluie froide – une véritable pluie d'automne en plein été ! – avec en prime des vents déments. Impossible ! Il n'avait guère parcouru plus de deux kilomètres et chaque pas représentait déjà un effort. Ce qu'il avait vécu plus tôt, dans la cave, l'avait exténué. S'il voulait atteindre son but, il devait absolument arrêter un véhicule. Malheureusement, la route était déserte.

Alors il continua. Lorsqu'il aperçut un panneau annonçant la ville de Sainte-Lucie à onze kilomètres, il faillit démissionner. Il avait cru être beaucoup plus loin.

La culpabilité lui servait de moteur. Son parrain avait voulu le protéger et il avait bêtement transgressé son interdiction. Par sa faute à lui, Jacob Jobin, son parrain était maintenant en danger. Il n'avait pas le droit de l'abandonner. Il devait le sauver.

Pour la première fois de sa vie, Jacob se sentait investi d'une vraie mission qui ne se déroulait ni sur un écran, ni dans les jeux de son enfance, ni dans un livre, mais dans la réalité. Quelqu'un avait besoin de lui. Et cette personne méritait son aide. Il n'avait pas le choix. Il devait absolument poursuivre sa course.

Pendant de longues minutes, il parvint à ne penser à rien d'autre. Toute son énergie, toute son intelligence étaient mises au service de cette machine qu'était son corps et qui avait pour charge de courir. La pluie tombait toujours, mais il n'avait pas froid.

Dès qu'il entendit un bruit de moteur derrière lui, Jacob s'arrêta net. Il avança sur la chaussée et se mit à gesticuler pour inciter le véhicule à s'arrêter. Les phares se rapprochèrent, Jacob baissa les bras, assuré maintenant que le chauffeur l'avait bien vu. Dans quelques instants, il serait confortablement assis sur un siège et filerait sans efforts jusqu'à Sainte-Lucie.

La voiture dévia et le dépassa en l'éclaboussant. Jacob sentit alors ses dernières réserves de courage l'abandonner. Il eut beau revoir son parrain, étendu sur son petit lit, rien n'y fit. Il n'avait plus la force de courir.

Il évalua qu'il devait être environ à mi-parcours. Il continua sa route en marchant d'un pas lourd sous la pluie battante. Le froid l'attaqua rapidement.

Jacob songea qu'il s'était souvent senti moche dans sa courte vie et surtout au cours de la dernière année, mais jamais autant que maintenant. Il avait l'impression d'avoir tout raté. Sans trop s'en rendre compte, il se mit à chantonner d'une voix triste sur fond de pluie : *Fabriquez-moi des ailes… Offrez-moi de l'air et du ciel… Ou je me fais éclater la cervelle.*

Alors il revit Simon-Pierre tel qu'il l'avait découvert au petit matin, quand Maryline Jobin lui avait demandé d'aller réveiller son frère. Jacob l'avait trouvé étendu sur son lit, une bouteille de médicaments vide à son chevet. Cette scène, Jacob la revoyait toujours avec une netteté parfaite. Il se souvenait de tout… L'odeur macabre. Déjà. Le silence terrifiant. La rigidité du corps qui n'évoquait déjà plus simplement le sommeil. Et cette flaque de lumière sur le drap parce que le soleil se fichait totalement de leur drame. Jacob revit aussi les traits de son frère. La vie avait déserté son visage.

Il fut soudain assailli par un élan de révolte.

— Non! cria-t-il. Tu n'avais pas le droit. M'entends-tu, Simon-Pierre Jobin? Tu n'avais pas le droit de tout lâcher. C'est toi qui disais qu'il n'y avait jamais rien d'impossible…

Le pire, c'est qu'il avait encore envie d'y croire. Il lui semblait même qu'il lui restait quelques miettes de foi au fond de l'âme. Il avait terriblement besoin de croire en quelque chose. Il devait prouver à Simon-Pierre qu'il s'était trompé. Qu'il aurait dû tenir bon. Qu'ils étaient tous les deux assez grands et puissants pour réussir toutes leurs missions. Et la première, c'était de survivre, non? Pour enfin, un jour, déployer leurs ailes….

Son pas se fit plus rapide et, finalement, il se remit à courir. Plus vite encore qu'avant. Malgré la sensation de brûlure aux mollets, les crampes au ventre et les coups de pioche dans sa tête. Il courut longtemps, d'un pas régulier, ajusté à son souffle, en bloquant la douleur. Plus rien ne comptait que sa mission.

La pluie finit par cesser. L'épais couvert de nuages se déchira, révélant des pans de ciel maussade. Jacob crut apercevoir Sainte-Lucie au loin. Tant de kilomètres encore… Était-ce bien un clocher perçant les arbres ou un mirage échafaudé par son esprit en déroute? Jacob n'aurait pu dire ce qui l'épuisait davantage : ces pas qu'il accumulait tel un automate ou les efforts de concentration qu'il devait déployer pour chasser de son esprit les supplications de son corps pétri de douleur?

Il entendit le ronronnement lointain d'un moteur. Le bruit approchait. Jacob résolut de ne pas s'arrêter. L'entreprise était trop risquée. S'il ralentissait sa course, jamais il ne pourrait reprendre ce rythme. Et s'il osait s'arrêter en espérant être cueilli par le véhicule et que ce dernier passe tout droit, alors ce serait fini. Il s'écraserait et ne se relèverait plus.

Comme Simon-Pierre.

Une voix. Un visage. Jacob nota que la voiture était bleue. Elle roulait maintenant à petite vitesse à côté de lui. La femme avait descendu la vitre de sa portière.

— Tu veux monter ? répéta-t-elle.

Pendant un moment, Jacob continua de courir. Les mots atteignirent lentement son cerveau. Monter en voiture... Pourquoi ? Pour trouver de l'aide... Oui...

Il s'arrêta brusquement. La voiture freina.

La dame sortit, marcha vers lui. Il leva vers elle un regard effaré.

— Je vais t'aider. Tout va bien, murmura la femme d'une voix très douce.

— Non... Pas moi, balbutia Jacob. Mon oncle.... Vite !

Les mots se bousculaient. Il n'arrivait pas à diriger le flot de paroles désordonnées. La dame lui posa quelques questions. Elle essayait de mettre un peu d'ordre dans le discours de Jacob, mais il ne répondait pas à ses interrogations.

— Il avait besoin de prendre trois gouttes, racontait-il maintenant. C'est ma faute. Il est seul là-bas. Et brûlant.

Fandor est resté… mais il ne peut rien faire… Et il n'y a plus de liquide. Le flacon est vide.

La dame avait fait apparaître un téléphone cellulaire. Mais c'est à lui qu'elle parlait. Et elle répétait sans cesse la même question. Les mots finirent par l'atteindre.

— Où est-il ? demandait-elle.

Jacob commença par parler de la forêt, puis des escaliers. L'un menant au grenier. L'autre…

— Comment s'appelle-t-il ? l'interrogea-t-elle, pressante.

Elle tenait maintenant le visage de Jacob entre ses deux mains pour le forcer à la regarder.

— Théodore Jobin, s'entendit répondre Jacob.

La dame ferma les yeux et poussa un profond soupir de soulagement en pianotant rapidement sur le clavier de son appareil.

— Oui. Une ambulance au vieux manoir du chemin des Pins. Une douzaine de kilomètres sur la route 122 puis à droite sur le chemin des Pins. C'est urgent…

Les arbres se mirent à vaciller, puis disparurent. Un voile noir enveloppa tout. Jacob se sentit tanguer à son tour. Puis, plus rien.

LA PRINCESSE FÉE

Tous ses membres élançaient comme si un camion lui était passé sur le corps. Et il avait soif. Terriblement soif.

Jacob tendit la main vers le verre d'eau à son chevet et but avidement. Il remarqua alors le bracelet de plastique attaché à son poignet et son esprit se mit à tourner à plein régime. Quelques secondes plus tard, il avait renoué avec les événements des dernières heures. Ou de la veille ? C'était sans importance. Chose certaine, il n'était pas dans sa chambre dans la maison familiale de la rue Rousseau, ni dans le grenier du manoir de Théodore Jobin, mais dans une chambre d'hôpital.

Jacob s'extirpa douloureusement de son lit et fit quelques pas avec difficulté. Au moment de franchir la porte de sa chambre, il fut intercepté par Léonie.

— Tut ! Tut ! Tut ! Au lit, jeune homme. Le médecin exige de te revoir avant de te donner congé.

Comme elle l'avait déjà fait souvent, Léonie devina ce qui se tramait dans l'esprit de Jacob et elle s'empressa de le rassurer.

— Ton oncle va mieux. Son état demeure critique, mais il est hors de danger. Quant à toi… Tu ne valais pas cher quand ta bienfaitrice s'est arrêtée. Je la connais… C'est Johanne Labrie. Elle enseigne aux petits et travaille souvent bénévolement à distribuer des repas. Malgré tes propos confus, la pauvre a finalement saisi que ton oncle devait absolument prendre un médicament qui n'avait pas pu lui être administré parce que le contenu du flacon s'était répandu dans la poche de ton pantalon. Ils ont fait un prélèvement sur ton vêtement, expédié le tout au laboratoire et découvert que ton oncle ingurgitait trois gouttes – c'était écrit à la main sur le flacon resté dans ta poche – d'un concentré inconnu qui ressemblait au moins un peu à un composé de plusieurs substances actives. À défaut du médicament exact, ils lui ont administré un cocktail approximatif par voie intraveineuse, ce qui était effectivement la meilleure solution dans les circonstances. Ton oncle a des amis… Je ne suis pas sûre que tous les patients auraient bénéficié d'un tel traitement !

Léonie s'arrêta pour reprendre son souffle et en profita pour caresser gentiment le dos de Jacob.

— On ne saura jamais si leur recette était efficace, parce qu'entre-temps, Johanne est venue m'avertir chez mon cousin et quelques minutes plus tard, après un arrêt au manoir, j'étais à l'hôpital où j'ai pu moi-même administrer des gouttes à Théo. J'aurais dû te mentionner qu'il y avait d'autres flacons dans le congélateur, c'est là que le… produit se conserve le mieux.

Léonie baissa les yeux, en proie à une gêne passagère. Cette fois, il était évident qu'elle lui cachait quelque chose.

Jacob le ressentit dans son œil magique, mais pendant un très bref instant seulement. Léonie retrouva rapidement son bon visage souriant.

— Je ne savais pas que tu étais un athlète… avança-t-elle, espiègle.

Jacob ignora la remarque.

— Il est hospitalisé ici?

Léonie acquiesça.

— Je peux le voir?

— Non. Zéro visite. Ils sont formels. Les pauvres se creusent la cervelle pour trouver de quoi souffre Théodore. Ils sont complètement déstabilisés par les symptômes que présente l'éminent elficologue, ou plutôt, le «fou du manoir», comme ils l'appellent par ici.

— Mon oncle n'est pas suivi par une équipe médicale de l'hôpital? s'enquit Jacob, surpris.

— Tu imagines vraiment que ton parrain confierait son corps à des médecins?

— Il a bien fallu que quelqu'un l'examine quelques fois depuis son accident, non? Ce n'est quand même pas lui qui se prescrit du jus de sauterelle!

Un petit rire s'échappa des lèvres de Léonie. Jacob la contempla un moment. «Qui êtes-vous? eut-il envie de demander. Que savez-vous? De quel mal souffre mon parrain?» Il commençait à comprendre combien la situation médicale de son oncle était inhabituelle. Il n'avait pas seulement perdu l'usage de ses jambes à la suite du terrible accident. D'où venait ce fameux sérum ? De quoi était-il composé ? Et pourquoi était-ce si critique qu'il soit administré deux fois par jour ? Que savait Léonie de l'état de santé de Théodore Jobin ? Jacob ouvrit la bouche pour poser une première question, mais Léonie la chassa d'avance d'un geste sans réplique.

— Tu es trop curieux, Jacob Jobin, déclara-t-elle. Repose-toi pour avoir meilleure mine lors du passage du médecin. Sinon, il risque de te garder et je serai obligée de rentrer seule. Ce serait dommage : Fandor s'ennuie beaucoup de toi. Et moi aussi… ajouta-t-elle.

Jacob retourna à son lit et il se rendormit presque aussitôt. À son réveil, une infirmière vint l'avertir que le médecin était retenu par un cas urgent. Il ne passerait pas avant une heure ou deux. Jacob se demanda s'il était au chevet de son oncle. Il tua le temps en comptant trois cent quarante-quatre perforations dans les tuiles du plafond, comprit qu'il ne se rendormirait pas et décida de tester un peu ses jambes dans les couloirs de l'hôpital.

Les premiers pas furent particulièrement souffrants, mais peu à peu la douleur se fit moins aiguë. Entre les assauts ponctuels déclenchés par de trop longues foulées, il en était quitte pour quelques élancements assortis d'une raideur bien méritée. Il déambula ainsi jusqu'au fond du couloir, découvrit un escalier, apprit qu'il était au quatrième étage, puis hésita un moment avant de décider s'il retournerait à sa chambre ou poursuivrait son exploration à un autre étage. Jusqu'à présent, il n'avait réussi qu'à entrevoir une enfilade de pièces avec des lits identiques et des humains en plus ou moins mauvaise posture allongés entre deux draps blancs.

Il opta pour le cinquième et dernier étage et le regretta aussitôt en découvrant comment ses muscles endoloris réagissaient à l'ascension. Il songea à rebrousser chemin, mais quelque chose l'attirait à l'étage supérieur. Une intuition, un vague pressentiment… L'impression se précisa à mesure qu'il gravissait péniblement l'escalier. Son œil secret savait. Une voix lui soufflait qu'il était venu jusqu'ici, qu'il avait parcouru tout ce chemin, à pied, dans la tempête, non seulement pour sauver la vie de son oncle, mais pour se hisser jusqu'à ce dernier étage.

L'escalier menait à un long corridor percé de portes closes. La fonction de chacune des pièces était inscrite sur une affichette : salle de conférence, entreposage 1, entreposage 2, microfilms, salle de réunion A, salle de réunion B… Au bout du couloir, il atteignit une porte de verre givré avec l'inscription « Défense d'entrer ». Jacob appuya délicatement sur la porte et constata qu'elle avait été mal fermée. Le mécanisme de verrouillage n'était pas enclenché. Il l'ouvrit sans difficulté.

Le couloir devant lui était plus étroit et moins profond que le précédent. Jacob se demandait dans quel département médical il venait de pénétrer lorsqu'il entendit des voix non loin. Il se faufila rapidement dans la pièce la plus près.

— Son état reste stable, annonça une voix qui semblait appartenir à une femme d'âge mûr. Ni amélioration, ni aggravation. Le pouls est faible mais constant. On soupçonne une légère perte de poids, rien de trop grave. L'infirmier de nuit n'a observé aucun signe d'éveil. Et ça fait maintenant… J'oublie… Ça fait combien de jours, maintenant?

— Trop! répliqua une voix masculine marquée par l'indignation. Des mois, en tout cas…

— Et toujours rien sur son identité?

— Vous le sauriez tout autant que moi… répondit l'homme sèchement.

— C'est fou, quand même! Ils font quoi, les policiers? se plaignit la femme que Jacob imaginait être une infirmière.

— Rien d'autre?

— Les dernières analyses sanguines ne révèlent pas de changement. Et on continue de faire référence à une formule de type Z, une simple façon de dire que c'est du jamais vu!

La conversation sembla terminée. Les deux employés s'éloignèrent de là où était Jacob, puis une porte se referma lourdement avec un bruit métallique. Jacob devina qu'ils venaient de quitter la zone interdite. Il examina le petit réduit où il s'était réfugié : une salle d'entreposage remplie d'instruments et de produits destinés au ménage. Jacob tendit l'oreille pour s'assurer que la voie était bien libre, puis il se glissa à nouveau dans le corridor.

Il avança silencieusement avec l'impression de s'approcher d'un but précis. Ses oreilles bourdonnaient et son cœur cognait trop fort dans sa poitrine. Il redoubla de vigilance en dépassant une salle d'où s'échappaient des voix presque inaudibles et s'arrêta tout au bout du couloir devant la dernière porte sur sa gauche.

Tous ses sens étaient en alerte. Ce qu'il éprouvait lui rappelait l'instant où il franchissait la frontière d'un nouveau monde dans un jeu électronique. Les mêmes émotions, mais multipliées par cent. Une porte s'ouvrit dans le corridor derrière lui. Jacob profita du bruit pour tourner le bouton de la poignée sous sa main sans attirer l'attention et disparut dans la pièce où ses pas l'avaient mené.

Jamais il n'oublierait cet instant où il la vit, en chair et en os, pour la première fois. Elle était là, devant lui, elle existait vraiment, frêle silhouette inondée de cette douce lumière que le soleil déversait dans la petite chambre. Elle gisait sur le drap immaculé comme si toute vie l'avait quittée, pareille à cette princesse dans *La Belle au bois dormant*. Jacob s'approcha lentement. Il posa une main tremblante sur le fin poignet auquel était noué un bracelet. La main était délicate, les doigts effilés. Il retint son souffle, le temps de repérer le faible battement d'oiseau sous la peau.

Elle était bel et bien vivante. Muette, immobile, fragile, égarée dans ses songes ou dans quelque autre univers, mais quelque part en elle, la vie palpitait toujours. Une onde de bonheur parcourut Jacob. Les mots chantaient en lui. Elle existe… Elle est là… Il se pencha pour lire le nom sur le bracelet d'identification. Il n'y avait que des chiffres : 0001.

Un léger soupir, à peine perceptible, s'échappa des lèvres de la jeune fille. Ses paupières palpitèrent. Puis, plus rien. Jacob recula d'un pas. Une sorte de pudeur le maintenait à distance. Son œil secret l'avertissait qu'il était devant un être d'exception. Une princesse? Une fée? Jacob esquissa un sourire. Était-ce bien lui, Jacob Jobin, qui venait de suggérer que la patiente alitée devant lui, au cinquième étage d'un hôpital régional, était un personnage enchanté?

Il était pourtant persuadé que c'était bien elle, la princesse du conte sous la couverture de velours. Celle qu'il avait quittée avec l'impression de mourir. Et c'était elle aussi, la princesse fée apparue dans un bref moment de grâce lorsqu'il gisait sur le sol du lieu interdit. La longue chevelure de la jeune fille incendiait les draps. Il savait que sous les paupières closes, ses yeux avaient la couleur d'une forêt d'été, brillante et changeante.

Jacob la contempla encore longuement et, peu à peu, il sentit des forces mystérieuses émaner d'elle, comme si d'extraordinaires pouvoirs sommeillaient dans son corps.

Des pas martelèrent le sol. Quelqu'un approchait. Pendant un bref moment, il fut aux abois. Il n'avait pas le droit d'être là. Pourtant, il ne pouvait pas se résoudre à quitter cette chambre. Il ne craignait pas les représailles, il était simplement incapable de s'arracher à la présence de cette jeune fille.

Jacob eut tout juste le temps de plonger sous le lit avant que la porte ne s'ouvre brusquement.

— Tu vois bien que tu fabules! Personne n'est entré ici.

Il y eut un silence. Jacob supplia toutes les puissances du ciel et de la terre de renvoyer ces deux individus dans le couloir désert.

— Bon, c'est aussi bien. Il ne faudrait pas que quelqu'un s'avise d'embêter cette pauvre fille. Elle est jolie, non ? Et pas de parents connus… Personne qui la réclame… C'est pas triste, ça ? Je l'adopterais bien, moi.

— Cinq marmots, ça te suffit pas ? Et puis, ce n'est plus une enfant… Allez, viens ! On n'est pas embauchées pour faire la surveillance. Il faut encore passer la serpillière et désinfecter tout le matériel….

Jacob resta un moment sous le lit dans la chambre silencieuse. Des scènes fugaces bombardaient sa mémoire. Il lui semblait que quelqu'un, quelque part, tentait de lui dire quelque chose. Et ce message qu'il n'arrivait pas à saisir était extrêmement important.

Des souvenirs épars se rassemblèrent peu à peu dans sa tête et Jacob sentit qu'il devait trouver une manière de les imbriquer, un peu comme les pièces d'un casse-tête, pour constituer un tableau signifiant. Il revit la lumière chatoyante des boisés qu'il avait tant de fois parcourus en compagnie de Simon-Pierre, la beauté presque magique de cette clairière semée d'herbes folles où Fandor l'avait mené, puis la jeune fille aux longs cheveux de feu qui était si soudainement disparue. Il se revit, brisé, pantelant, sonné dans le sous-sol interdit, puis il revit la grande image au milieu du livre : ce chevalier bravant tous les lieux, tous les temps, toutes les créatures possibles et impossibles, pour secourir une princesse endormie.

Jacob Jobin comprit soudain que ce chevalier, c'était lui.

LA CLÉ

Pendant que Léonie remerciait son cousin de les avoir ramenés, Jacob ouvrit la porte d'entrée. L'assaut de Fandor fut tel que Jacob se retrouva sur le dos, le visage couvert d'une substance gluante répandue à grands coups de langue.

— Bon ! Ça suffit, le gros. Laisse-le respirer un peu. Allez, viens ! ordonna Léonie.

La bête fit brusquement demi-tour et Jacob en fut quitte pour un coup de queue cette fois fouetté en pleines joues. Il se releva en riant, plus heureux encore qu'il ne l'avait imaginé de retrouver son compagnon.

Malgré toute l'ardeur qu'il avait mise dans sa requête, Jacob n'avait pas pu convaincre le médecin de le laisser voir son parrain avant de quitter l'hôpital. Finalement, il s'était ouvert à Léonie. Il ne lui avait pas confié sa découverte dans la chambre isolée du cinquième étage, ni ce qu'il avait vécu derrière la porte défendue du vieux manoir, il lui avait seulement expliqué qu'il devait absolument parler à son oncle.

Jacob avait besoin de l'éclairage de son parrain. Ce vieil homme possédait des connaissances précieuses et

Jacob savait désormais qu'il devait lui faire confiance. Comme il savait qu'il était condamné à retourner dans la minuscule pièce du sous-sol où trônait l'étrange livre dont le titre contenait son nom. Dans quel but? À quelles fins? Jacob n'aurait su répondre, mais il était persuadé que son parrain le savait, lui. Pour sa part, Jacob commençait seulement à saisir qu'une mission bien plus périlleuse que la conquête du Grand Vide Bleu l'attendait.

Ils dînèrent en parlant peu. Léonie était épuisée. La femme de son cousin allait beaucoup mieux. Maude Larivière avait été simplement victime d'un empoisonnement alimentaire particulièrement violent dont ni elle ni son mari ne pouvaient déterminer l'origine. Étrangement, alors même qu'ils avaient partagé tous leurs derniers repas et mangé les mêmes aliments, Max, son mari, n'avait éprouvé aucun symptôme.

— Morale de cette histoire? Il n'y a que le bon Dieu et avec lui les fées qui savent ce qui nous guette, conclut Léonie avant d'attaquer le potage.

Jacob profita du silence pour échafauder des plans. Il devait retourner à l'hôpital le plus tôt possible. Pour voir son oncle et pour revoir la patiente numéro 0001. Qui était-elle? D'où venait-elle? Selon la conversation qu'il avait surprise, la jeune fille était captive d'un coma profond, sans identité connue et seule au monde pour le moment. Où était sa famille? Elle était hospitalisée depuis plusieurs mois, c'était plus de temps qu'il n'en fallait pour retrouver un être cher. Était-elle orpheline? Victime d'un accident? Quel traumatisme pouvait être à l'origine de sa perte de conscience? Et que devait-on comprendre des résultats de l'analyse sanguine? Enfin, pourquoi était-elle isolée des autres patients?

— Irons-nous le visiter demain? s'enquit soudain Jacob.

De surprise, parce qu'elle-même était perdue bien loin dans ses pensées, Léonie échappa la petite cuillère avec laquelle elle venait de commencer à manger sa compote de fraises.

— Et pourquoi? Ils ont tout ce qu'il faut pour le soigner, répondit-elle en l'observant attentivement. Imagines-tu ton parrain moins sauvage simplement parce qu'il est à l'hôpital? Crois-moi! Je suis sûre qu'il peut survivre sans visiteurs.

— Peut-être, mais moi, je dois lui parler, répliqua Jacob en soutenant son regard. Je vous l'ai déjà expliqué.

Léonie allongea une main vers lui et effleura délicatement son bras. Jacob fut parcouru d'un long frisson. Il la ressentait. Totalement. Parfaitement. Et il savait exactement ce qu'elle tentait de lui exprimer avec ce simple geste. C'était comme si elle avait parlé, comme si elle lui avait dit : « Je sais tout. Je te comprends. Mais je n'y peux rien. Les événements doivent suivre leur cours, maintenant. Sois patient. »

Jacob eut envie de lui répondre qu'il se sentait tout à la fois fébrile, inquiet, excité, un peu perdu, peut-être même dépassé par les événements et pourtant fort et brave, rempli d'espoirs comme d'appréhensions. Patient? Non. Pas du tout.

Ce soir-là, Jacob téléphona de nouveau à sa sœur. Il avait besoin de garder contact avec sa vie antérieure. Il avait besoin de se souvenir qu'il s'appelait Jacob Jobin, qu'il avait treize ans moins quelques poussières, qu'il avait un père biochimiste, une mère ex-secrétaire devenue gestionnaire du domicile – et de ses habitants! – à plein temps, une sœur dont il n'appréciait pas souvent l'existence et un frère qu'il avait adoré, mais qui l'avait abandonné.

À sa grande surprise, Jacinthe répondit elle-même à la troisième sonnerie. La petite famille Laplante était allée déguster des sushis dans un chic resto du centre-ville et Jacinthe Jobin, qui pourtant adorait les tranches de poisson cru, avait décliné l'invitation.

— Tu es malade? s'inquiéta Jacob.

— Non… répondit Jacinthe. J'avais envie d'être seule, c'est tout.

La situation étonna Jacob encore davantage. Jacinthe adorait être entourée. Elle était de celles qui ont constamment besoin d'être aimée, adulée, chouchoutée. Il fallait toujours que quelqu'un lui parle, l'accompagne, l'écoute. Et voilà que sa sœur réclamait de la… solitude?

— Ça va? demanda-t-il.

— Mmmouais…

Ils supportèrent ensemble quelques secondes de silence.

— Et toi? finit-elle par demander d'un ton que Jacob jugea peu intéressé.

Jacob tenta silencieusement de répondre à cette question pourtant banale. « Moi, est-ce que ça va ? » Il contempla l'affaire pendant un moment.

— Oui... Ça va.

Il venait de découvrir que c'était vrai. Que malgré tout, il se sentait mieux qu'à son arrivée au manoir quelques jours plus tôt. Jacob fut surpris de constater qu'il n'était même pas chez son parrain depuis une semaine encore. Il avait vécu tellement de surprises, tellement d'émotions, tellement de transformations aussi au cours des derniers jours qu'il avait l'impression d'être là depuis des mois. Il se sentait mieux parce que sa vie ne ressemblait plus à un désert sans fin. Il avait des secrets à percer, des mystères à élucider. Sans compter qu'il se sentait investi d'une mission, comme s'il avait réellement le pouvoir de ramener à la vie la Belle au bois dormant du cinquième étage.

Jacob rigola en silence en s'imaginant expliquer à sa sœur qu'il allait quand même bien parce qu'il venait de se découvrir un but : sauver une princesse des griffes d'un coma profond. Et qu'il en avait eu l'idée en lisant un conte de fées ! Au lieu, il s'entendit raconter :

— Mon parrain a été hospitalisé... mais tout est sous contrôle. Léonie... sa... son amie... qui fait plein de choses pour lui, enfin pour nous... pour plein de monde... eh bien... nous sommes ensemble. Il y a aussi le chien. Fandor. Je t'en avais parlé...

— Oui... Tu disais qu'il est énorme... Malgré tout, j'ai l'impression que tu te plais mieux que moi chez tes hôtes, pas vrai ?

— Qu'est-ce qui ne va pas ? demanda-t-il soudain à sa sœur aînée.

Quelques secondes de silence s'écoulèrent lentement.

— La nuit dernière, j'ai rêvé à Simon-Pierre, commença Jacinthe. Il n'était pas mort. Il vivait… ne te moque pas de moi… dans un autre pays.

Jacob reçut la confidence comme un direct en plein ventre. Ce rêve, il l'avait fait des dizaines de fois.

— Il m'en voulait… comme toi… dit-elle encore avant d'éclater en sanglots.

Jacob resta muet. Sa sœur, la reine chiante, jamais dépassée par les événements, jamais victime de rien, se révélait tout à coup étonnamment humaine. Sensible. Vulnérable. Fragile, même.

Elle reniflait bruyamment, comme un enfant.

— Ce n'est rien. Je suis seulement fatiguée. Je dors mal, ici… Oublie ça !

— Non… Je n'ai pas le goût d'oublier ça… murmura Jacob après un moment d'hésitation. Je comprends… Je voudrais… pouvoir t'aider.

— Bof ! C'est moi la grande sœur, quand même, objecta-t-elle mollement.

— Oui… C'est sûr… Alors quand ce sera mon tour d'avoir besoin de quelqu'un, tu pourras m'aider si tu veux… offrit-il.

Un nouveau silence s'installa, moins lourd que le premier.

— Écoute, Jacinthe... Tu n'as peut-être pas réagi comme il aurait fallu, s'entendit expliquer Jacob. Je ne sais pas tout, c'est sûr... Et on n'en a jamais vraiment parlé, toi et moi. Ni avec papa et maman. Ce serait peut-être le temps de le faire. Mais... Tu ne peux pas te sentir responsable de ce qui est arrivé. J'ai été con de te dire ce que j'ai dit. Moi non plus, je n'ai pas toujours été... à la hauteur, disons. Je ne voulais pas l'admettre, mais... ça m'a rattrapé. Ici, sans télé, j'ai plein de temps pour penser. Même quand j'aimerais mieux pas... Mais... Ce qu'il ne faut pas oublier, c'est que c'est quand même lui qui est parti. C'est lui qui l'a décidé...

— Ouais... Ça me fait du bien, ce que tu dis... Mais... Je ne peux pas m'empêcher de me demander ce qui serait arrivé si j'avais réagi autrement. Pas juste après avoir trouvé la chanson. Il y avait plein d'autres indices ! Bon... J'entends du bruit. Je pense qu'ils sont revenus. Je te quitte. J'avais dit que je voulais dormir alors c'est ce que je vais faire semblant de faire...

— D'accord.

— Jacob ?

— Oui...

— Merci.

Cette nuit-là, Jacob rêva lui aussi à Simon-Pierre. Et dans son rêve, son frère l'appelait. Les lieux de ce rêve étaient flous. Jacob n'aurait su dire s'il était chez ses parents, chez Théodore ou ailleurs. L'appel de Simon-Pierre envahissait tout l'espace. Il semblait venir tout à la fois du bout de l'horizon, de sous la terre et du fond du ciel. Jacob ne se souvenait pas des paroles que son frère avait prononcées, mais il avait clairement compris que Simon-Pierre le pressait de venir le rejoindre dans cet autre pays où il s'était réfugié. Il avait quelque chose de très important à lui dire. Une sorte de révélation, quelque chose qu'il n'avait pas pu lui confier avant de partir, parce qu'à l'époque, il ne le savait pas. Il avait compris bien des choses depuis. C'est pour ça qu'il le réclamait.

À son réveil, Jacob constata que Fandor n'était pas dans son lit. Il devina aussitôt pourquoi : son parrain était revenu.

Léonie chantonnait dans la cuisine. Il n'eut pas à parler. Elle se tourna vers lui et, tout sourire, hocha la tête en réponse à la question muette de Jacob. Puis elle ajouta :

— Les médecins ne lui auraient jamais donné congé s'il n'avait pas un si sale caractère.

Elle gloussa, à la manière d'une camarade espiègle.

— Dès qu'il a pu réunir suffisamment de force pour les harceler, il y a mis toute son ardeur, crois-moi. Il a même menacé de les poursuivre en justice s'ils ne le retournaient pas chez lui dans l'heure. Et comme si ça ne suffisait pas, il a réclamé que Max s'en mêle.

Devant le regard interrogateur de Jacob, Léonie expliqua :

— Oh… pardonne-moi, j'oubliais que tu n'es pas d'ici… Max Larivière, mon cousin, est le grand patron de l'hôpital général de Sainte-Lucie, directeur général et directeur médical en plus. Et même si la ville est petite, sache que c'est un établissement important, car il dessert un grand territoire…

Léonie porta une main à sa bouche pour dissimuler un sourire complice.

— Ce pauvre Max ! Il n'y a pas plus gentil. Théo a tellement insisté… Max a dû faire des acrobaties pour ne froisser personne et rester dans la légalité. Mais ce n'est pas la première fois que Théo… Enfin…

Léonie se tut brusquement. Un ange passa. Jacob comprit que Léonie avait failli s'aventurer en terrain glissant, mais il ne dit rien.

— Ce qui compte, c'est qu'il soit rentré, poursuivit Léonie. Parce que, crois-moi, ça commençait à sentir la catastrophe.

Jacob acquiesça d'un mouvement de tête et Léonie poursuivit :

— Ils voulaient nous envoyer un infirmier deux fois par jour pour son soluté. Mais Théo a horreur de laisser entrer des étrangers. J'ai fait valoir que j'ai déjà été infirmière et au bout de longs palabres, ils ont accepté de venir l'installer puis de me laisser faire. De toute manière, tous ces trucs, bouteilles et aiguilles, ce n'est pas tellement plus compliqué que des ustensiles de cuisine, rigola-t-elle.

— Je peux le voir ?

Léonie parvint mal à dissimuler son malaise.

— Bon… Aussi bien te le dire tout de suite : il ne veut pas te voir.

Elle attendit que Jacob accuse le coup.

— Ne me demande pas pourquoi. Je ne le sais pas. Mais il s'est exprimé très clairement.

— Il m'en veut ? demanda Jacob, la voix rauque.

Léonie s'accorda un moment de réflexion.

— Non, finit-elle par répondre. Je ne crois pas. Ton parrain est un vieux fou. Mais un vieux fou sage. S'il ne veut pas te recevoir tout de suite, il a ses raisons. Fais-lui confiance…

Pendant que Jacob avalait ses œufs en silence, Fandor traversa la cuisine d'un pas pesant et vint s'écraser aux pieds de son nouvel ami. Jacob jeta un coup d'œil à la fenêtre. Il faisait un temps splendide et pour le moment, il se sentait bien impuissant. Il avait besoin de réfléchir pour mieux déterminer ce qu'il pouvait ou devrait faire.

— T'as envie d'une promenade, le gros ? offrit-il.

Fandor se redressa aussitôt, la queue frétillante, l'air d'avoir tout compris.

Avant de sortir, Jacob voulut remonter au grenier enfiler ses souliers de course et un chandail plus léger. Il s'arrêta un moment dans la bibliothèque. Cette fois, personne ne lui avait choisi un livre d'avance. Ça tombait bien. Il savait ce qu'il voulait. Jacob repartit avec un ouvrage de Théodore Jobin : *La grande encyclopédie des fées*.

En passant devant la porte interdite, il sentit un étau lui écraser la poitrine. Était-ce le souvenir de ce qu'il avait expérimenté ou un avant-goût de ce qui l'attendait ? À cet instant, il lui sembla qu'il n'aurait peut-être pas suffisamment de courage pour redescendre cet escalier. Il pensa à la jeune fille étendue sur le lit d'hôpital et à celle qui lui était apparue. Jacob songea que son imagination s'était sans doute emballée trop rapidement. N'était-il pas simplement en train d'inventer des histoires et d'y croire ? N'était-il pas surtout en proie à la solitude et à l'ennui ? À force d'être seul dans ce vieux manoir, sans jeux, sans télévision, il s'était mis à fabuler, ce qui au fond n'avait rien de si étonnant.

Sur ces réflexions, il fila au grenier, où il en profita pour fourrer l'encyclopédie dans son sac à dos avant de redescendre.

Dehors, les cigales chantaient à tue-tête. C'était un matin glorieux. Fandor fila vers le sentier menant à l'étang.

— Bon, d'accord, puisque je ne décide de rien, grommela Jacob d'un ton faussement bougon.

Ils s'amusèrent dans l'eau, comme la première fois, puis Jacob se fit sécher au soleil en grignotant des passages au hasard dans *La grande encyclopédie des fées*. Une heure plus tard, il lisait toujours. Était-ce le ton encyclopédique ? L'abondance de détails ? Jacob eut bientôt l'impression de lire un véritable ouvrage documentaire.

Théodore Jobin parlait des créatures féeriques comme si elles existaient réellement. Il répertoriait trois grandes familles : les fées, les géants et le petit peuple. Ce dernier groupe réunissait un nombre ahurissant d'espèces de petite taille aux caractéristiques très diverses. Chacune avait ses forces, ses failles, ses lois, sa façon de survivre, de s'amuser… Il y avait les nains barbus, les gnomes, les goules, les korrigans, les farfadets, les lèprechiens, les lutins, les grichepoux, les orques, les elfes, les gobelins, les feux follets, les fougres, les harpies…

L'éminent elficologue écrivait sur ces petits peuples avec l'aplomb de celui qui les a longuement fréquentés. Celui qui sait, pour l'avoir expérimenté, que les goules, par exemple, sont les plus cruelles de toutes ces créatures et que malgré leur taille réduite, mieux vaut affronter un géant en colère qu'une goule de méchante humeur.

Sur les fées, Théodore Jobin était intarissable. Il parlait d'elles avec une rigueur d'apparence toute scientifique qui rendait encore plus surprenantes les soudaines considérations philosophiques ou poétiques. Ainsi, à la fin du premier chapitre consacré aux fées, Théodore Jobin écrivait-il : « Elles sont là pour réenchanter le monde. Pour nous rappeler que le merveilleux palpite tout autour de nous et que derrière le voile du réel grouillent des royaumes insoupçonnés. Les fées nous rappellent que des lutins vivent dans les collines creuses, que des ondines somnolent sous les nénuphars, que les arbres se déplacent la nuit et que certains grands oiseaux peuvent se métamorphoser en sorciers. Et s'il vous arrive, un soir d'été, de tomber sous le charme d'un essaim de lucioles illuminant la nuit, ne faites point de bruit et ouvrez grand les yeux, car ce sont peut-être des elfes dansant sous un filet de lune. »

Lorsque Fandor arracha son compagnon à sa lecture en poussant quelques jappements brefs, Jacob découvrit que le soleil tombait. Des heures étaient passées sans qu'il s'en aperçoive. Il ramassa ses affaires en constatant qu'il n'avait rien mangé depuis le petit-déjeuner et qu'il avait complètement oublié de prendre des provisions à la cuisine avant de partir.

— T'as faim, hein, le gros ? Allez, c'est bon, on rentre.

Ce soir-là, Jacob tomba endormi en terminant le chapitre sur les dragons gardiens de trésor. Le lendemain et le jour suivant, il emprunta le même sentier jusqu'à l'étang, nagea un peu avec Fandor, puis lut tout le reste du jour, en s'arrêtant seulement pour dévorer le goûter préparé par Léonie. Chaque fois, c'est Fandor qui dut lui rappeler qu'il était grandement l'heure de manger tant Jacob était absorbé par sa lecture.

Le troisième jour, avant de remonter au grenier après un souper partagé avec Léonie, Jacob s'arrêta devant la porte interdite et ferma les yeux. Il n'avait plus l'impression qu'un étau lui comprimait la poitrine. Il se sentait totalement présent et extraordinairement vivant, un peu comme s'il avait emmagasiné des forces neuves au cours des derniers jours, comme s'il n'était plus tout à fait le même.

Il allait poursuivre sa route vers l'escalier lorsqu'une rumeur le retint. L'écho d'un appel lointain. Rien de véritablement audible, pourtant. C'est dans son ventre que

Jacob ressentait cet appel. Quelqu'un le réclamait. Était-ce Simon-Pierre ? Ou quelque princesse endormie ? Jacob savait que cette personne ou cette créature vivait dans un autre univers. Celui du livre qui avait pour titre : *La grande quête de Jacob Jobin*.

Il n'avait pas rêvé tout ça. L'ouvrage existait. Il était là, derrière cette porte, en bas du sombre escalier, dans la petite pièce tout au fond. Il le savait. Seule la peur ou peut-être le manque de courage avaient pu l'inciter à réduire à des chimères ce qu'il avait entrevu dans ce sous-sol obscur.

« Quand ? » avait demandé Jacob. « Tu sauras », avait répondu son parrain. Alors Jacob poursuivit sa route jusqu'au grenier.

Le lendemain, le ciel déversait à nouveau des trombes d'eau. Léonie jurait qu'il n'avait jamais tant plu. Après avoir dégusté des scones aux petits fruits encore chauds, Jacob se réfugia dans la bibliothèque. Il s'installa dans un fauteuil et laissa son regard errer dans la pièce. Tant de livres, tant de pages, tant de mots. C'était étourdissant.

Un ouvrage déposé sur le manteau du foyer accrocha son attention. Il ne l'avait pas remarqué lors de sa visite précédente. Théodore Jobin était-il venu dans cette pièce récemment ? Ce livre lui était-il destiné ? Jacob se leva pour l'examiner. Ce n'était pas vraiment un livre, mais plutôt un carnet de notes. Il semblait assez neuf et toutes les pages étaient vierges. Jacob découvrit qu'il dissimulait une coupure de journal. Il la déplia soigneusement. L'article était paru il y a un peu plus d'un an, le 29 juin 2007.

Inconsciente mais bien vivante

Après avoir reçu un appel téléphonique d'une personne non identifiée en début de journée hier, les équipes de secours de la municipalité régionale de canton, assistées par une vingtaine de bénévoles, ont pratiqué des fouilles intensives dans un rayon de dix kilomètres à partir de l'intersection de la route 122 et du chemin des Pins. Au terme de plus de douze heures de recherche, M. Germain Beaupré, un bénévole âgé de 69 ans, a découvert une jeune fille inconsciente dans une clairière abandonnée.

La jeune fille ne portait aucune marque de coups ou d'autres sévices. Sans être critique, son état de santé laisse l'équipe médicale perplexe. Les médecins n'ont d'ailleurs pas pu statuer depuis combien de temps elle gisait ainsi dans un coma profond.

Après de premières interventions à l'hôpital général de Sainte-Lucie, la patiente a été transportée d'urgence au Centre de santé universitaire de Westville, où elle est encore sous observation.

L'identité de la jeune fille n'a pas encore été établie. Personne n'avait signalé sa disparition avant le mystérieux appel et aucun membre de sa famille ne l'a réclamée depuis.

Jacob lut l'article trois fois. C'était elle. Il en était sûr. Sa belle inconnue, sa princesse mystérieuse… Selon la conversation qu'il avait surprise au cinquième étage de l'hôpital de Sainte-Lucie quelques jours plus tôt, il avait cru comprendre qu'elle était inconsciente depuis quelques mois. Or, voilà qu'il apprenait qu'elle gisait inanimée sur un lit d'hôpital depuis un an. Et qu'après une première hospitalisation d'urgence à Sainte-Lucie, elle avait été admise au Centre universitaire de santé de Westville, dont faisait partie l'Institut de recherche où travaillait son père, avant d'être retournée ici, dans ce bled perdu. Pourquoi? Et comment pouvait-elle rester si longtemps dans les griffes d'un coma alors qu'elle était si jeune et qu'il n'y avait aucune apparence de traumatisme grave. Et encore, comment expliquer que personne ne l'ait reconnue ni réclamée après tout ce temps?

Jacob quitta la bibliothèque et avança vers la porte d'entrée. Il s'arrêta devant le rideau dissimulant les quartiers de son parrain et, sans hésiter, écarta l'épais tissu, ouvrit la porte, franchit le petit vestibule et entra dans le lieu protégé. Léonie était là. En l'apercevant, elle se leva – à croire qu'elle l'attendait! – et disparut sans dire un mot.

Jacob s'approcha de son oncle. Il avait du mal à imaginer ce vieillard en apparence si diminué houspillant le personnel hospitalier pour obtenir la permission de rentrer chez lui. À première vue, la place de cet homme était encore dans une chambre d'hôpital. «Et tout ça par ma faute», s'attrista Jacob.

Il resta un moment à examiner son parrain, affligé par le spectacle. Lorsque Théodore Jobin ouvrit soudain les yeux, Jacob fut heureux d'y retrouver le pétillement de sa vive intelligence. Il aurait eu mille questions à lui poser, mais Jacob pressentait maintenant que son parrain ne parlerait pas. Le regard posé sur lui était pourtant empreint de bienveillance. Son oncle lui avait-il déjà pardonné ? Comprenait-il ce qui l'avait attiré dans le lieu interdit et devinait-il ce qu'il y avait vécu ?

Théodore Jobin tourna la tête et releva le menton comme pour inviter Jacob à regarder dans cette direction. La clé ! Elle était à nouveau suspendue à un des poteaux du lit. Jacob la prit et la tendit à son oncle.

Théodore Jobin secoua la tête en signe de négation.

— C'est... pour moi ? demanda Jacob d'une voix blanche.

Le vieil homme acquiesça.

— Vous voulez... que j'y retourne maintenant ? Alors qu'avant c'était si... défendu ?

Théodore Jobin laissa les questions de son filleul se perdre dans la pièce silencieuse. De toute manière, Jacob savait, intuitivement, qu'il devait y retourner. Il lui était impossible de faire marche arrière. Il ne pouvait pas prétendre que cette petite pièce et ce livre n'existaient pas. Et puis, quelque chose en lui était... différent. Même s'il avait encore du mal à se faire confiance, il savait qu'il avait changé, grandi peut-être, en quelque sorte. Il se sentait désormais mieux préparé pour affronter ce qui l'attendait là-bas.

Des questions pressantes surgirent.

— Pourquoi ? Qu'est-ce que je dois faire ? Quelle est ma... mission ? Retrouver Simon-Pierre ? Ou la sauver... elle ? Et... comment ? balbutia Jacob.

Un petit sifflement s'échappa des lèvres de Théodore Jobin. Ses paupières étaient closes. Il s'était rendormi.

Jacob avait l'impression de porter le monde sur ses épaules. Des paroles de son parrain lui revinrent brutalement.

« Ça devait arriver », avait-il murmuré lorsque Jacob était remonté du sous-sol, totalement aux abois parce qu'il avait renversé le précieux sérum.

Ensuite, Théodore Jobin avait ajouté ces mots mystérieux : « C'est… toi. Je… je n'avais pas compris… C'est toi… »

Jacob savait qu'il ne pouvait pas pour l'instant saisir le sens de ces paroles, mais qu'il comprendrait bientôt. Et que plus rien ne serait jamais pareil.

LA FORÊT

Tout se déroula très vite. Muni d'une torche, cette fois, Jacob inséra la clé dans la serrure, poussa la porte, descendit l'escalier et se dirigea vers la petite pièce tout au fond.

Le livre était resté sur le sol. Jacob s'approcha et cueillit l'ouvrage. Il ne ressentit rien. Ni douleur, ni trouble. Il déposa le livre sur la table, caressa d'une main la toile de la page couverture, puis effleura du bout des doigts les lettres de son nom. Rien.

Jacob ouvrit le livre. Rien. L'enchantement avait-il pris fin? Jacob ne savait plus s'il devait s'en réjouir ou le déplorer.

C'est à ce moment que l'espace autour de lui s'abolit.

Jacob se découvrit debout, en pleine forêt, les yeux grands ouverts. Dans son corps, rien ne semblait changé. Il n'avait pas l'impression d'arriver de loin, ni de s'éveiller d'un lourd sommeil. Il n'était pas étourdi et il n'éprouvait aucune douleur. Il savait pourtant qu'il venait de pénétrer dans un autre monde.

Autour de lui, il n'y avait que des arbres, à perte de vue. Des arbres géants, aux troncs larges comme trois hommes. Leurs branches tordues et très ramifiées se rejoignaient pour former un couvert épais. Le feuillage d'un vert très profond dissimulait toute trace de ciel et l'air embaumait de parfums insolites. Jacob ne reconnaissait pas ces arbres dont les longues feuilles très fines donnaient l'impression d'une épaisse chevelure répandue sur les branches.

Le silence était si lourd que Jacob eut envie de crier, simplement pour entendre sa voix. Il tourna lentement sur lui-même. Quelle que soit sa position, quelle que soit la cible de son regard, il ne voyait que de l'écorce, un sol moussu et du feuillage. Il n'y avait pas de sentier, pas d'éclaircie, que cette forêt trop dense aux arbres gigantesques.

Une attaque de panique assaillit Jacob. Il avait quitté l'univers qu'il connaissait et il n'avait aucune idée de comment y retourner. De plus, il était envahi par un tel sentiment d'étrangeté qu'il n'était plus totalement sûr d'être vivant ni d'être tout à fait lui-même, Jacob Jobin, fils de Jean-René Jobin et de Marylin Méthot, âgé de… treize ans! Treize ans aujourd'hui. Les événements récents lui avaient fait oublier son anniversaire, mais il avait néanmoins consulté un calendrier dans la cuisine du manoir au retour de l'hôpital et il n'y avait pas de doute possible. Il avait treize ans, maintenant. C'était le jour de son anniversaire qu'il basculait ainsi dans ces territoires inconnus.

Jacob se sentait paralysé. Il avait peur de bouger. À cet instant même, il aurait souhaité tout effacer, faire marche arrière, retourner à son grenier. Mais c'était impossible. Il devait réagir, sortir de cette torpeur. Son premier réflexe fut d'appeler à l'aide. Pourtant, il se retint. Il sentait que s'il cédait à cette impulsion, s'il se mettait à crier et que nulle âme ne lui répondait, il risquait de s'affoler encore davantage. Alors il perdrait ses forces et sa lucidité. Non. Il devait se calmer, fouiller en lui-même pour trouver un peu de confiance et de courage.

Il tenta de se rappeler pourquoi il avait accepté le risque de franchir la porte de cet autre monde. Il eut une pensée pour son frère et pour la jeune fille aux allures de princesse, mais ces évocations ne suffirent pas à dissiper son angoisse.

Les arbres formaient une véritable palissade autour de lui. Il n'y avait rien d'autre. Ni roches, ni fleurs, ni broussailles, et surtout, pas la moindre trouée, que cette armée de géants dont il était prisonnier. La forêt était si dense qu'il lui semblait impossible d'avancer. Et pourtant, son œil magique lui dictait de le faire. Alors, malgré la proximité des arbres, Jacob fit un pas, puis un autre et un autre encore, surpris de pouvoir progresser autant.

Il n'aurait jamais cru disposer d'autant d'espace. Il compta : un, deux, trois… et bientôt, dix pas. C'est ainsi que Jacob découvrit que les arbres bougeaient. Ils reculaient à son approche ! Jacob ralentit afin de mieux scruter la forêt autour de lui, mais il ne perçut aucun mouvement. Il continua malgré tout d'avancer. C'était comme si l'espace autour de lui se dilatait, comme si les distances n'avaient plus la même valeur que dans le monde réel.

Jacob poursuivit sa progression. Les arbres s'écartaient maintenant, comme par magie, à croire qu'il était convenu que le jeune intrus avait la permission de marcher dans cette forêt. Un sentier apparut bientôt devant lui. Il l'emprunta, heureux d'avoir trouvé un chemin tracé, sans doute parce qu'il avait ainsi davantage l'impression de se diriger vers un but.

La forêt était parfaitement silencieuse. Un silence impossible, songea Jacob. Il n'y avait aucune trace de vie. Ni bêtes, ni insectes, ni oiseaux. Et pourtant, il se sentait épié.

Jacob marcha longtemps sans avoir la moindre idée de l'heure du jour, car le soleil, si du moins cet astre existait dans cet univers singulier, était complètement masqué par la frondaison de ces arbres inconnus. La forêt baignait dans une lumière ouatée, un pâle crépuscule légèrement bleuté. L'air était tiède et sec, sans souffle de vent. Jacob commençait à redouter d'être contraint d'accomplir un nouvel exploit en marchant pendant des heures et des heures – et pour aller où ? pour chercher quoi ? – lorsqu'il perçut un mouvement, suivi d'un faible craquement.

Depuis qu'il avait atteint le sentier, Jacob n'avait plus l'impression que les arbres bougeaient. Pourtant, il lui sembla tout à coup qu'un des troncs près de lui venait de remuer, comme sous l'effet d'une secousse secrète. Jacob s'accroupit. L'agitation semblait venir du sous-sol.

Avant même d'entendre un autre bruit, Jacob sentit un léger frémissement sous ses pieds. Puis, il perçut un grognement plaintif, à peine audible. Tous ses sens étaient en éveil. Quelque chose de mystérieux se tramait. Soudain, les racines de l'arbre devant lui se tordirent puis se soulevèrent comme si elles étaient poussées par une présence clandestine. Jacob fut alors témoin d'un événement tout à fait extraordinaire.

Un petit être émergea de sous une racine, une boule humide de poils marron titubant sur deux pattes. Presque aussitôt, une créature semblable mais beaucoup plus grande tomba d'une branche, atterrit en souplesse, courut vers la petite chose, la cueillit et disparut dans la forêt. La scène n'avait guère duré plus de quelques secondes.

Jacob était persuadé qu'il venait d'assister à une naissance. La petite boule de poils était apparemment sortie des entrailles de la terre. Les racines de l'arbre étant encore soulevées, Jacob introduisit une main dans ce creux et ses doigts rencontrèrent une surface dure, extrêmement mince et friable. Plusieurs morceaux de cette matière gisaient au fond de la cavité. Jacob en retira un pour l'examiner.

C'était un morceau de coquille. L'une des faces, lisse et froide, était rouge brique, l'autre, visqueuse et tiède, était très pâle, presque blanche. La petite créature était sortie d'un œuf !

Jacob reprit sa route, à la fois perplexe et un peu rassuré. Cette forêt était bel et bien habitée, mais les créatures qu'il venait de surprendre ne semblaient pas trop terrifiantes. Il marcha encore longtemps. L'air était maintenant plus chaud et Jacob commença à ressentir la soif. Il continua pourtant de mettre un pied devant l'autre, tel un automate. Et encore. Le temps semblait suspendu, Jacob n'avait plus de repères. Depuis combien d'heures marchait-il ? Des jours ! aurait-il répondu, tant sa fatigue était grande. Jacob songea alors que la perception du temps était certainement altérée dans cet autre monde.

Sa gorge devint très sèche et sa bouche pâteuse. Les mêmes questions lui martelaient le cerveau. Où suis-je ?

Qu'est-ce qui m'attend? Il commença à souffrir de crampes au ventre et de nouvelles inquiétudes jaillirent. Comment trouverait-il à boire et à manger dans cette forêt impossible? Pour s'encourager, il songea que les deux créatures qu'il avait aperçues devaient bien se désaltérer quelque part.

À plusieurs reprises, il crut déceler des présences secrètes parmi les arbres. Puis, plus rien. Et tout à coup, il avait à nouveau l'impression d'être épié. Pour garder la tête froide, Jacob se répétait des phrases qui l'aidaient lorsqu'il était en mission devant un écran. «Reste d'attaque.» «Concentre-toi.» «Courage!» «Tiens bon!» Mais dans l'univers de ses jeux, tout était si facile. Il n'avait qu'à pianoter sur une touche ou à bouger une manette. Ici, tous ses membres et toutes ses facultés étaient mis à l'épreuve.

La faim s'ajouta à la soif et devint rapidement obsédante. Jacob se surprit à contempler l'idée de cueillir un gros champignon de couleur crème qui ressemblait à s'y méprendre, bien que de taille plus imposante, aux champignons que sa mère faisait griller dans un poêlon. L'hésitation qui précéda sa résolution de ne pas cueillir le champignon lui fit comprendre combien il avait désespérément besoin de boire et de manger.

Il continua d'avancer, mais de plus en plus lentement. Les premiers étourdissements le saisirent sans qu'il s'en aperçoive vraiment tant son esprit était brouillé par la fatigue, la faim et surtout la déshydratation. Il atteignit un état près de la somnolence alors même qu'il marchait toujours. Lorsqu'il s'arrêta enfin pour se rouler en boule au pied d'un arbre, il tomba presque instantanément endormi.

À son réveil, il crut distinguer une éclaircie parmi les arbres. Il n'avait toujours rien pour se désaltérer et calmer son appétit et il ne se sentait guère vaillant, mais il devait bouger, trouver une solution et ce n'était certainement pas en restant étendu là qu'il y parviendrait. Il se dirigea vers cet espace où la forêt était moins dense et distingua peu à peu d'étranges formes sautillantes rassemblées en cercle.

C'étaient d'affreuses créatures, d'allure vaguement humaine, d'un peu plus de un mètre de haut, qui avançaient aussi bien sur deux que sur quatre pattes. Leur corps osseux était replié à la taille, ce qui leur donnait l'air de bossus. Elles étaient pourvues de longs membres très mobiles au bout desquels s'agitaient de grands doigts griffus. Des ailes de chauve-souris, sombres et duveteuses, étaient accrochées à leur dos. Leur visage était pointu, avec des yeux globuleux roulant en tous sens et un vilain bec de corbeau prêt à déchiqueter sa proie. Une odeur répugnante flottait autour d'eux. Nul doute : c'étaient des grichepoux ! Jacob se souvenait de la description qu'en avait faite Théodore Jobin dans *La grande encyclopédie des fées*.

Il resta figé derrière un arbre, trop ébahi pour avoir peur. Théodore Jobin était donc un vrai savant, versé dans la science des fées. Ce qu'il décrivait dans son ouvrage existait réellement dans cette autre dimension.

De son poste d'observation, Jacob finit par comprendre que les grichepoux étaient réunis autour d'un trou. Ils s'agitaient en poussant des cris méchants avec l'air de se moquer de ce qu'il y avait au fond de cette cavité. Une plainte ténue attira l'attention de Jacob. Il chercha d'où elle provenait et aperçut une de ces créatures poilues comme il en avait rencontrées plus tôt, de taille adulte, perchée sur une branche au-dessus de sa tête. La boule de poils se pencha vers lui, le regard implorant.

Jacob tenta de reconstituer ce qui était arrivé. Les grichepoux s'étaient sans doute emparés du petit poilu qui venait de naître – Jacob ne se souvenait pas d'avoir lu de description de ces créatures dans l'encyclopédie de son parrain, aussi décida-t-il de les appeler ainsi : les poilus. Celui qui le fixait de ses yeux suppliants était aux abois. Et, visiblement, il réclamait son aide.

« Mais je ne peux rien faire ! » aurait voulu se défendre Jacob. Il ne se sentait pas la force d'affronter une fourmi, alors comment aurait-il pu se mesurer à un bataillon de grichepoux ?

Soudain, le poilu se balança sur la branche puis, d'un coup de pattes, se propulsa vers un arbre voisin en s'accrochant à une nouvelle branche. Il poursuivit son trajet vers le cercle de grichepoux en progressant ainsi d'un arbre à l'autre à la lisière de la forêt. Arrivé près des créatures malfaisantes, le poilu se laissa tomber sur le sol en poussant une plainte aiguë, comme s'il venait de se blesser. Jacob devina que ce n'était qu'une diversion. Il avait vu une de ces créatures tomber de haut et atterrir avec beaucoup de souplesse. Alertés par le cri, les grichepoux abandonnèrent leur poste d'observation et se ruèrent vers le pauvre poilu en piaillant et en gesticulant.

Jacob savait maintenant ce que le poilu attendait de lui. Il avait créé une diversion, risquant ainsi sa vie, pour permettre à Jacob de s'approcher du trou et de libérer le petit. Jacob réfléchit rapidement. Il n'avait jamais même vu une de ces créatures avant aujourd'hui. Il ne leur devait rien. S'il approchait du trou et qu'un grichepou l'apercevait, il risquait d'être fait prisonnier lui aussi. Or ces créatures hideuses semblaient aussi malveillantes que malignes. Jacob les imaginait bien s'acharnant comme des corbeaux sur leurs tristes victimes. Non. Il n'avait rien à faire ici. L'occasion était d'ailleurs idéale pour prendre ses jambes à son cou et fuir ces affreux grichepoux dont la seule vue lui glaçait le dos.

Pourtant, Jacob ne bougea pas. Il avait connu le danger, la peur, le désarroi. Dès qu'il s'était retrouvé dans cet autre monde, il avait eu envie d'appeler à l'aide. S'il l'avait fait, un poilu serait-il accouru ? Il était maintenant seul et démuni. Comment pouvait-il espérer que quelqu'un lui porte secours si lui-même n'acceptait pas de prêter main-forte aux autres ? De plus, Jacob ne pouvait s'empêcher de penser à la petite boule de poils humide qui était née devant lui. C'était une toute petite chose bien trop vulnérable pour être abandonnée au fond d'un trou encerclé par des grichepoux.

Pendant que ces derniers prenaient en chasse le poilu tombé de l'arbre, Jacob courut jusqu'à la fosse. C'était une sorte de tunnel en pente raide, tout juste assez grand pour qu'il s'y faufile et trop sombre pour qu'il puisse en distinguer le fond. En frappant du bout des pieds contre la paroi glaiseuse, Jacob entreprit de se creuser des marches pour descendre. Un soudain étourdissement lui rappela combien il avait urgemment besoin de boire et de manger.

Il s'agrippa un moment à des racines avant de poursuivre sa descente.

Le petit poilu gémissait au fond du trou, soucieux de manifester sa présence, l'air de dire à Jacob qu'il devait absolument se rendre jusqu'à lui. Quand Jacob toucha enfin le sol, il fut pris d'assaut par la petite chose qui agrippa son pantalon et s'y accrocha comme à une bouée. Jacob le prit doucement, caressa son pelage, qui était infiniment doux, et enfouit la boule de poils sous sa chemise. Puis, il remonta péniblement à la surface en s'agrippant à des racines. Une question le hantait : que leur arriverait-il si les grichepoux les attendaient là-haut ?

Dès qu'il atteignit l'air libre, Jacob constata avec soulagement que les grichepoux n'étaient pas revenus. Il devinait toutefois qu'il avait avantage à se méfier de ces créatures sournoises. Il devait s'éloigner. Rapidement. Alors même qu'il étudiait les refuges possibles, un long cri douloureux déchira la forêt au loin. Jacob comprit que le poilu adulte avait été capturé et que les grichepoux entamaient leur œuvre de torture.

Le bébé se débattait maintenant sous la chemise de Jacob, griffant la peau de son sauveteur. Jacob pressa une main contre la masse chaude et courut jusqu'à la forêt en direction opposée du cri qu'il avait entendu.

Au moment où il atteignit le couvert des feuillus, la nuit tomba d'un coup. Brutalement. La lumière blafarde qui éclairait la forêt jusqu'alors s'éteignit brusquement et un voile d'obscurité enveloppa tout. Le poilu s'agita à nouveau. Jacob le retira de sous sa chemise. Les yeux du petit brillaient dans le noir en lançant des éclairs affolés et il tremblait. La peur de son protégé aida Jacob à surmonter la sienne.

— Chuuuut! Tout doux… Calme-toi. Ça ira. Tu vas voir, murmura-t-il d'une voix qu'il voulait rassurante en caressant le pelage de la bestiole.

Comme si les paroles de Jacob avaient eu un effet magique, un point lumineux apparut dans la forêt. Jacob souffla à nouveau des paroles apaisantes au petit poilu avant de le glisser sous sa chemise, puis il se laissa guider par cette lueur. Elle ne lui avait pas semblé très loin et pourtant, il mit beaucoup de temps à l'atteindre. Cette fois encore, les distances s'étiraient, et sans doute le temps aussi. Jacob finit par trouver une toute petite maison blottie parmi les arbres géants. Devant la porte, une lanterne semblait inviter les voyageurs à s'approcher.

LA DAME BLEUE

Jacob frappa à la porte trois fois sans obtenir de réponse. La porte n'étant pas verrouillée, il l'ouvrit et pénétra dans la maisonnette. Une lampe à huile et plusieurs bougies éclairaient l'unique pièce. Les fenêtres étaient tendues de tissu léger et quelques bouquets de fleurs égayaient les lieux. Jacob sut aussitôt qu'il faisait bon vivre dans cette maison.

— Bonjour… Il y a quelqu'un? demanda-t-il d'une voix éraillée par l'épuisement.

Il attendit un moment, mais rien ne vint rompre le silence. La maison était pourtant clairement habitée et le propriétaire des lieux ne devait guère être loin. Quelqu'un avait allumé la lampe et les bougies et de bonnes odeurs de nourriture flottaient encore dans la pièce. Jacob libéra la petite boule de poils qui commençait à s'agiter sous sa chemise et il la déposa sur le sol. Au même moment, il eut l'impression que les murs vacillaient autour de lui. Il réussit quand même à faire quelques pas pendant que tout dansait encore sous ses yeux. Finalement, il s'écroula sur le petit lit collé au mur près de la porte d'entrée et chavira aussitôt dans un sommeil comateux.

Jacob navigua longuement en eaux troubles sans véritablement trouver de repos. Il émergea souvent de songes lourds, juste assez longtemps pour prendre conscience qu'il était terrassé par une forte fièvre. À plusieurs reprises, il s'inquiéta de son protégé et l'appela faiblement en le nommant clairement, un peu comme s'il le baptisait :

— Petit Poilu… Viens…

Chaque fois, Jacob sentait la boule de poils se pelotonner contre lui et, rassuré, il replongeait dans un sommeil tourmenté. Il y eut un moment où il s'éveilla avec l'impression qu'on lui martelait le crâne à coups de massue ; tous les muscles de son corps élançaient tant qu'il eut envie d'appeler sa mère pour qu'elle coure à son chevet, comme lorsqu'il était enfant. Puis il pensa à Simon-Pierre, à toutes ces nuits où il s'était réfugié dans le lit de son grand frère pour échapper aux sorciers et aux monstres qu'il imaginait à ses trousses. Malheureusement, sa mère n'était pas là et son frère non plus.

Il était désormais trop faible pour se lever et chercher de l'eau et le gouffre vers lequel il se sentait glisser l'attirait de plus en plus. Il avait atteint un carrefour : d'un côté, il y avait cette forêt remplie d'épreuves et de l'autre, un grand vide de couleur indéfinie. Simon-Pierre avait choisi le vide, lui…

Pendant un bref éclair de lucidité, Jacob parvint à mieux comprendre pourquoi il se trouvait en si piteux état. Rien n'était pareil, ici. L'espace comme le temps ne semblaient pas obéir aux mêmes lois et ne pouvaient sans doute pas être mesurés de la même manière que dans le monde qu'il avait connu jusque-là. La nuit était tombée brutalement et elle était extraordinairement sombre, sans étoiles ni lune. Ce qui n'avait semblé qu'une seule interminable journée de marche équivalait peut-être à deux jours, ou trois, ou même davantage dans son autre vie. Celle où l'attendait sa famille, mais aussi, surtout, Théodore, Léonie et Fandor.

Jacob eut conscience de sombrer lentement et sans doute aurait-il glissé dans le vide si un parfum ne l'avait retenu. Un parfum unique, de fleurs et de neige, de sable et de printemps. Jacob s'accrocha à ces effluves comme à une bouée. Puis, il y eut cet instant béni où une femme apparut à son chevet. C'était d'elle qu'émanait le parfum merveilleux. Elle était gracieuse et mince, mouvante et fluide, un peu comme un fantôme, ou peut-être une fée. Elle se pencha vers Jacob et à travers le brouillard dans lequel il baignait, le jeune garçon crut distinguer une longue robe bleue et un bijou, une toute petite pierre bleue, très brillante, à son cou. Elle posa ses mains fraîches sur le front brûlant de Jacob et il eut l'impression de renaître.

Jacob sentit le mince filet d'un breuvage délicieux mouiller ses lèvres et couler lentement dans sa bouche. Sa gorge était en feu, il n'aurait pas pu supporter plus que quelques gouttes de ce liquide. Dix fois, cent fois peut-être, la dame bleue fit boire Jacob. Chaque fois, elle en profitait pour presser ses paumes sur le front fiévreux.

Peu à peu, le contact de ces mains sembla moins froid et les périodes d'éveil de Jacob s'allongèrent. La dame bleue s'affaira au chevet de Jacob jusqu'à ce que sa fièvre tombe. Lorsqu'il émergea, enfin parfaitement lucide, et qu'il put mieux distinguer sa bienfaitrice, un cri jaillit de sa gorge. Les longs cheveux de la dame bleue étaient pareils à ceux de la belle inconnue : une forêt d'automne incendiée de lumière. Et ses yeux étaient d'un vert aussi étincelant. Jacob mit un moment à accepter que ce ne pouvait pas être elle. La dame bleue était plus grande que sa princesse endormie, plus âgée aussi. Mais la ressemblance était saisissante.

Jacob fit des efforts inouïs pour se relever afin de mieux contempler cette femme qui l'avait sauvé. Elle en profita pour lui tendre un gobelet. Il but avec délices, s'assura que Petit Poilu était toujours blotti contre lui et se rendormit. En ouvrant les yeux, Jacob sentit qu'il avait dormi très longtemps, d'un sommeil extraordinairement réparateur et profond. Il allongea un bras et constata avec soulagement que Petit Poilu n'était pas loin. La dame bleue se pencha alors vers lui et, pour la première fois, elle parla :

— C'est à ton tour, maintenant, Jacob Jobin, murmura-t-elle d'une voix ferme et pourtant mélodieuse. Celui que tu as déjà sauvé va mourir si tu ne fais rien. Tu dois le secourir et il te faut absolument réussir cette première mission si tu souhaites atteindre ce que tu dois atteindre.

Elle n'en dit pas plus et, pendant que Jacob apprivoisait lentement ses paroles, elle disparut.

Jacob n'eut pas le loisir de se demander ce qu'il ressentait. Tout ce qu'il possédait d'énergie était déjà dirigé vers Petit Poilu. Jacob se tourna vers son protégé et caressa son pelage. Petit Poilu ne réagit pas. Jacob le cueillit. Son corps semblait de chiffon et ses pattes pendaient tristement comme celles d'une marionnette. Il faisait pitié à voir.

Jacob l'installa au creux de son bras et lui gratta doucement le ventre. Petit Poilu ouvrit les yeux. Son regard était éteint.

Jacob se leva pour de bon. Il découvrit que le couvert était mis et la table bien garnie. Il y avait un grand bol de potage délicieusement odorant, du pain frais, du fromage, de minuscules petits fruits très appétissants, des biscuits en forme de croissant et une carafe d'eau fraîche. Jacob s'installa, Petit Poilu toujours lové au creux d'un bras et, avant même de goûter à quoi que ce soit, il tenta de faire boire son protégé, comme la dame bleue l'avait fait avec lui, en laissant couler quelques gouttes seulement au début. Petit Poilu refusait de boire. Jacob humecta ses doigts dans l'espoir qu'il les lèche, mais il n'obtint pas de réaction.

L'esprit tourmenté par l'état de Petit Poilu, Jacob entreprit quand même de se nourrir. Il avait besoin d'emmagasiner des forces pour secourir son ami. Aux premières bouchées, son estomac se révulsa, mais peu à peu, il parvint à s'alimenter normalement. Lorsqu'il fut rassasié, Jacob contempla longuement Petit Poilu, en proie à une grave inquiétude. La petite chose glissait lentement vers le gouffre où lui-même avait failli basculer.

— Qu'est-ce que je vais faire de toi? demanda Jacob. Il faut que tu boives, au moins. C'est le plus important. Sinon...

Jacob saisissait parfaitement l'avertissement de la dame bleue. Petit Poilu était en danger. Il venait à peine de naître. Peut-être n'avait-il encore rien avalé de sa courte existence. Jacob songea alors que les nouveau-nés des humains ne supportent qu'un aliment, le lait maternel. Était-ce pareil pour ces créatures? Il devait alors le ramener parmi les siens. Mais comment les retrouver?

C'est à regret que Jacob quitta la maisonnette blottie sous les arbres géants, son Petit Poilu sous sa chemise. Il aurait beaucoup aimé revoir la dame bleue. Qui était-elle? D'où venait-elle? Cette maison si accueillante était-elle la sienne? Jacob devinait que cette femme était un être d'exception. Savait-elle ce qui l'attendait dans cette forêt?

La nuit était encore pleine. Jacob découvrit qu'il supportait mieux l'obscurité, désormais, et même s'il avait du mal à distinguer les arbres autour de lui, il parvint à avancer à l'aveuglette jusqu'à un sentier balisé. Sur le tronc des arbres, des taches rouges brillantes en forme d'étoile guidaient les pas des voyageurs. Jacob marcha longtemps, sans savoir où ce sentier le mènerait.

Le jour se leva aussi brusquement qu'il s'était éclipsé et la forêt fut à nouveau inondée d'une pâle lumière duveteuse. Cette fois, peut-être parce que son ouïe était mieux aiguisée ou parce que les habitants de cette forêt se méfiaient moins de lui, Jacob put discerner la présence d'êtres, de bêtes ou de créatures tapis dans le secret des bois. Un monde grouillant, vivant, s'éveillait lentement. Jacob trouva un ruisseau, sortit Petit Poilu de sous sa chemise et tenta de lui faire avaler un peu d'eau, mais sans succès. Son jeune protégé semblait de plus en plus mal en point. Sa tête retombait mollement et sa respiration était sifflante. Le cœur en charpie, Jacob caressa tendrement la tête de Petit Poilu avant de le réinstaller sous sa chemise.

Le sentier s'arrêtait au ruisseau. Jacob but de l'eau, puis il fit quelques pas en scrutant la forêt, à l'affût d'un signe lui indiquant quelle direction prendre. Faute de mieux, il décida d'avancer droit devant, mais à peine eut-il fait quelques pas qu'une douleur cuisante le saisit aux chevilles. Il perdit pied, eut le réflexe de protéger Petit Poilu de ses bras et se retrouva nez contre terre. Il sentit aussitôt qu'on lui prenait Petit Poilu et des voix retentirent :

— Sale voleur !

— Vilain malfaiteur !

— Espèce de malotru !

Jacob cracha un peu de mousse et de terre, puis il releva la tête et découvrit un vieil homme barbu aux longs cheveux hirsutes. Il avait le cou large et les bras bien musclés, mais sa taille ne dépassait guère un mètre. En se contorsionnant, difficilement parce qu'on lui appliquait une forte pression dans le dos, Jacob découvrit qu'il était entouré d'une douzaine de ces curieux bonshommes.

— Voler un xélou ! Quelle honte ! s'exclama le premier barbu d'une voix nasillarde. Tous les habitants d'ici réservent le même châtiment à quiconque enfreint la convention de protection des xélous. Vous êtes donc présentement, résolument et absolument condamné à être…

— Décapité ! proclama un autre barbu d'un ton ravi.

Un concert de rires joyeux accueillit sa bévue et le premier barbu, qui semblait être le chef, rectifia :

— Décapité !

Il ajouta, à l'intention du barbu qui avait gaffé :

— Tu devrais compter tes doigts avant d'ouvrir la bouche, tête de galfaga !

Des rires fusèrent à nouveau. Jacob profita de cette diversion pour se tortiller vigoureusement et déstabiliser les barbus qui tentaient de le maintenir au sol en écrasant la semelle de leurs bottes dans son dos. L'un d'eux tomba sur les fesses, les autres réussirent à rester debout, mais Jacob eut le temps de se relever. Il découvrit alors que les barbus avaient utilisé un fil de fer pour le faire tomber.

Jacob les dominait désormais de sa taille, mais les barbus étaient de plus en plus nombreux et d'autres encore les rejoignaient. Maintenant qu'il pouvait mieux les observer, Jacob comprit qu'ils faisaient partie de ce que Théodore appelait « les petits peuples cousins ». Il existait en effet une grande diversité de races de petite taille qui n'étaient ni gnomes, ni nains, ni lutins. Chacune avait ses particularités et si les unes étaient amicales, d'autres étaient franchement barbares.

— Redonnez-moi mon Petit Poilu ! tenta quand même Jacob d'un ton qu'il s'efforça de rendre autoritaire.

— Ton quoi ? ! Les xélous n'appartiennent à personne, tête de taratata ! le réprimanda un de ceux qui avaient tenté de le maintenir au sol.

— Où est-il ? demanda Jacob en parcourant le groupe du regard.

— À l'abri ! rétorqua le chef. Allez, file ! Sauve-toi avant que le Grand Sorcier ne te trempe dans sa soupe. Notre machine à décapiter est brisée. Les goules ont vraiment des cous durs à trancher… Et avec les menaces d'invasion qui circulent, on a trop à faire pour s'embarrasser d'une décapitata… euh… d'une décapitation.

Une rumeur d'approbation parcourut le groupe.

— Je ne partirai pas sans le Petit Poilu, protesta Jacob. Il ne m'appartient pas et je ne lui ai fait aucun mal. Bien au contraire ! Mais je suis… je suis responsable de lui. J'ai assisté à sa naissance et je dois l'aider à retrouver les siens. Sinon, il va mourir.

Un murmure de consternation jaillit de l'attroupe-ment. Jacob en déduisit que ces vieux bonshommes n'étaient peut-être pas si méchants. Il poursuivit :

— Il n'a rien bu ni rien mangé. Je lui ai offert de l'eau à plusieurs reprises…

— Mais c'est idiot ! l'interrompit une femme qui avait de longs cheveux blancs hirsutes comme ses camarades, mais aucun poil à la figure. Les xélous nouvellement nés ne boivent que de l'hydransie.

— Bien sûr. Tout le monde sait ça, ajouta une autre femme d'un ton narquois.

Un concert d'approbation gagna la foule. Jacob soup-çonnait que la plupart de ces drôles d'individus n'étaient pas si clairement au fait des soins à donner à un bébé xélou, mais l'orgueil les incitait à faire comme s'ils savaient tout.

— Alors où puis-je trouver cette chose ? L'hydransie… voulut savoir Jacob.

Un lourd silence s'installa. Jacob fouilla quelques regards. Celui du chef, entre autres, et celui de cette femme qui semblait savoir ce qui convient à un bébé xélou.

— C'est précieux ! lâcha le barbu dont tout le monde s'était moqué, ce qui lui valut un regard noir du chef.

Jacob devina qu'ils en avaient. Ils en avaient… mais ils hésitaient à le partager ?

— Laisse-nous ton petit ami, proposa la femme d'une voix aimable. Nous allons nous occuper de lui.

Jacob faillit accepter. Elle en savait plus que lui, son regard était bienveillant et lui-même se sentait si peu compétent. Puis il se souvint des paroles de la dame bleue. C'est à lui, Jacob Jobin, qu'elle avait confié la responsabilité de Petit Poilu.

— S'il reste avec vous, je reste aussi, déclara Jacob.

La trentaine de petits bonshommes roulèrent des yeux effarés. La proposition de Jacob leur semblait parfaitement saugrenue.

Le chef s'approcha de lui.

— Soulève-moi ! ordonna-t-il à Jacob.

« Est-ce un piège ? Que me veut-il ? » se demanda Jacob. Tous les barbus et les femmes réunis retenaient leur souffle en attendant la réaction de Jacob. Alors il avança, se pencha, prit le barbu par la taille et tenta de le soulever de terre.

À sa grande surprise, il n'y parvint pas. Il n'était pas assez fort. L'homme était de courte taille, mais très robuste et sans doute presque aussi lourd que lui.

Jacob essaya de nouveau, mais échoua encore. Lorsqu'il se releva, de grands éclats de rires moqueurs secouèrent l'assemblée.

— C'est bien ce que je pensais, conclut le chef. Tu es moins fort qu'une rouf ! Tu ne nous serais d'aucune utilité.

Cette fois, la foule rugit, totalement hilare, à croire que c'était l'affirmation la plus comique qu'il leur avait jamais été donné d'entendre. Une rage sourde s'empara de Jacob. Il détestait qu'on se moque de lui. Il allait répliquer une grossièreté lorsqu'il aperçut Petit Poilu dans les bras d'un des barbus. La pauvre petite chose semblait terriblement faible. Sa tête retombait comme s'il avait eu le cou brisé. Le barbu qui le tenait ne semblait pas du tout s'en soucier. Jacob remarqua qu'il ne riait pas comme les autres. Il épiait ses camarades. Ses traits étaient durs et une vilaine balafre marquait sa joue droite.

Jacob fut pris d'un malaise. Grâce à son œil magique, il venait d'éprouver les mêmes émotions que cet individu. Et ce qu'il avait ressenti était malsain. À cet instant même, il aurait tout donné pour arracher Petit Poilu à ce barbu.

Jacob ravala sa colère pour se concentrer sur le sort de son protégé. « Ces petits vieillards ne veulent de moi qu'à condition que je leur sois utile ? D'accord ! À quoi suis-je bon ? » se demanda-t-il pendant que l'assemblée continuait de se moquer de lui. Il n'était pas aussi fort qu'eux et même s'il était plus grand, il ne savait pas trop en quoi cela pouvait les intéresser. Il était plutôt doué à l'école lorsqu'il y consacrait un minimum d'énergie, ce qui n'avait pas été le cas au cours de la dernière année, mais les barbus se fichaient bien de ses résultats en mathématiques. Il n'était pas très sportif. L'idée de courir derrière un ballon lui avait toujours paru un peu ridicule. Mais il avait du cœur au ventre. Ça oui. Il l'avait maintes fois démontré au cours de ces étés où Simon-Pierre et lui s'imposaient de fabuleuses missions. Et il l'avait prouvé à nouveau en parcourant tous ces kilomètres pour sauver son parrain. Oui. La persévérance était une de ses forces. Quand il croyait en quelque chose et décidait de s'y attaquer, il allait jusqu'au bout. Et il réussissait presque à tout coup.

— Mettez-moi à l'épreuve! lança-t-il au chef.

Surpris par ces paroles, les barbus cessèrent de rire. Jacob se demanda comment il pourrait leur expliquer ce qu'il avait à offrir.

— Ma force à moi est là, déclara-t-il en frappant un poing sur son torse.

Le chef parut comprendre. Il contemplait Jacob, visiblement intéressé par ce que l'étranger venait de faire valoir.

— Que proposes-tu? s'enquit le chef.

— À vous de décider, répondit Jacob.

Il n'aurait pas su quoi proposer, car il n'avait aucune idée de ce qu'ils espéraient ni de ce dont ils avaient besoin.

— Attends-nous ! lui lança le chef avant de s'éloigner, suivi de trois barbus et de la femme qui avait parlé d'hydransie.

Pendant leur absence, Jacob voulut s'approcher de Petit Poilu, mais celui qui le tenait lui lança un regard si mauvais que Jacob préféra rester à distance. Alors il s'assit sur le sol mousseux et il attendit.

Le chef et ses comparses ne palabrèrent pas très longtemps. Ils revinrent avec l'air d'être parfaitement d'accord.

— Tu dois dormir dehors, annonça le chef comme s'il se fut agi d'une horrible sentence. Et sans te cacher, ajouta-t-il. Tu dois passer toute la nuit exposé.

Il prit le temps de sonder la réaction de Jacob et, sans doute parce qu'il n'y lisait pas l'effet escompté, il ajouta d'une voix grave :

— C'est une dure épreuve. Pour voir si ce que tu dis est vrai… Je ne sais pas d'où tu viens, mais ici, personne ne souhaite passer une nuit dehors. Car c'est la nuit que l'ogre des collines frappe. Il a déjà dévoré trois des nôtres. Et son ombre plane sans cesse. Certains disent qu'il est aussi redoutable que l'armée du sorcier Zarcofo.

— Il… il ressemble à quoi ? osa demander Jacob.

Un long frémissement parcourut l'assemblée. Ils semblaient tous terrorisés à la seule idée de décrire la redoutable créature.

— Nul ne le sait, déclara le chef d'une voix rude.

— Vous… vous ne l'avez jamais vu? questionna Jacob.

— Qui le voit est déjà mort! soutint le chef.

— Mais comment pouvez-vous être sûr qu'il existe? insista Jacob.

Un sifflement de désapprobation lui répondit, comme s'il avait proféré un blasphème. Une femme s'avança.

— Mon fils est de ceux qui ont été dévorés, dit-elle avec hargne. Veux-tu voir ce qu'il en reste?

La pauvre exhiba un foulard rouge déchiqueté avant d'éclater en sanglots. Jacob se sentit honteux.

Il devait réfléchir rapidement. Si cette menace était réelle, si une créature abominable hantait véritablement ces lieux pendant la nuit, alors c'était insensé de se livrer en pâture. Il chercha une réponse dans la foule et son regard s'arrêta sur le barbu qui tenait Petit Poilu.

Jacob fut pris d'une violente nausée. Guidé par son œil magique, et sans même l'avoir souhaité, il venait de s'introduire dans cet homme. L'individu était fourbe et dangereux. Jacob en était persuadé. Il n'avait pas simplement accès à une vision fugace ou à une émotion passagère, il ressentait totalement ce vieux barbu, comme s'il était lui. «Le cœur de cet homme est aussi noir que les nuits d'ici», songea Jacob, terrifié par ce qu'il éprouvait. Il ferma les yeux et, pour la première fois de son existence, il découvrit que son œil magique, ce sixième sens enfoui dans ses entrailles, avait le pouvoir de lui révéler des scènes dont il n'avait jamais été témoin.

Jacob vit, comme si cela se déroulait devant ses yeux, le barbu au cœur noir décapiter un enfant vivant puis le livrer en pâture à de grands rapaces. L'enfant portait une barbe blanche et ses cheveux étaient longs et hirsutes comme tous ceux de son peuple, mais son visage trahissait son jeune âge. Et il portait un foulard rouge.

Sans qu'il s'en aperçoive, tant il était pris par ces visions, Jacob gardait les yeux rivés sur le triste individu qui avait commis ce crime atroce. Le barbu cracha sur le sol avec dépit. Jacob se ressaisit.

— J'accepte, déclara-t-il en s'adressant au chef. Je passerai la nuit dehors.

Une rumeur de stupéfaction parcourut l'assemblée. Tous semblaient très impressionnés par la décision de Jacob. Le trouvaient-ils courageux ou complètement cinglé ? Un peu des deux sans doute, conclut Jacob en contemplant les visages devant lui.

L'un d'eux retint son attention. La femme qui avait parlé d'hydransie l'observait avec un mélange de tristesse et d'impuissance, comme si elle avait voulu le mettre en garde contre un danger encore plus terrifiant que ce qu'il pouvait imaginer.

LES ROUFS

Jacob apprit rapidement à mieux connaître les roufs. C'est ainsi que se nommaient ceux qu'il appelait les barbus. Au premier abord, les roufs composaient un petit peuple au tempérament étonnant. Jacob avait déjà compris qu'ils pouvaient être très violents envers d'autres peuples, mais ils étaient aussi extraordinairement enfantins. Dès que Jacob eut accepté sa proposition, le chef des roufs annonça une grande fête « pour célébrer cette délicieuse diversion » et il invita Jacob à les suivre jusqu'au village des collines où ils habitaient.

— Que ferez-vous du xélou pendant la fête ? demanda Jacob.

Le chef adressa à Jacob un regard courroucé et sans doute s'apprêtait-il à lui lancer des insultes lorsqu'un bras tira Jacob vers l'arrière.

— Tais-toi ! lui conseilla le rouf qui venait d'intervenir. Sinon tu vas déclencher la colère du chef.

Le rouf gratifia Jacob d'un large sourire avant d'ajouter :

— Les colères du chef sont pires que les orages du ciel.

Jacob poursuivit sa route vers les collines en compagnie de Grou, le rouf qui venait de le mettre en garde. Grou était le plus jeune rouf du peuple des collines. En discutant avec lui, Jacob apprit que les roufs adoraient faire la fête et détestaient par-dessus tout s'ennuyer. Le jour, les hommes travaillaient dans des mines sous le sol à « extraire des pierres de lune du ventre de la terre », un travail que Grou décrivit comme extrêmement monotone et très épuisant, pendant que les femmes ratissaient la forêt en quête de nourriture : noix de zioux, petits fruits, lait de chêne et quelques autres ingrédients servant à confectionner du crapoud.

Grou était intarissable. Dès que Jacob semblait surpris par un mot ou une affirmation, il se lançait dans de vastes explications, toujours généreux de détails et soucieux de bien renseigner Jacob. Contrairement aux autres roufs, qui ne semblaient voir en Jacob qu'une diversion, Grou paraissait vouloir se lier d'amitié avec l'étranger.

Jacob apprit que les zioux poussaient dans des arbres qui ressemblaient vaguement à des baobabs. Jacob n'avait jamais vu de baobab, sinon dans un petit livre illustré, mais lorsque Grou lui désigna un de ces arbres, Jacob y trouva une certaine ressemblance. Ces arbres assez peu répandus donnaient de petits fruits en forme d'étoiles. Les roufs raffolaient du noyau au centre de ces fruits. Ils en mangeaient, crus, des quantités ahurissantes et utilisaient le reste pour préparer une soupe délicieuse et très nutritive qu'ils aromatisaient d'hydransie les soirs de grands festins.

Les roufs ne pouvaient pas supporter de boire l'hydransie pure comme les xélous... ou les elfes. En prononçant le nom de ces créatures, Grou cracha sur le sol avec une grimace de dégoût.

Jacob avait longuement lu sur les elfes, mais il n'avait jamais entendu parler d'hydransie. Dans son encyclopédie, Théodore Jobin abordait rapidement les philtres et les élixirs sans les nommer ni préciser leurs usages. Grou expliqua à Jacob que les elfes étaient le peuple le plus important du royaume caché. Ceux qui habitaient la grande région des collines et de la forêt environnante étaient moins puissants que les roufs, mais plus nombreux... et plus fourbes ! Les roufs et les elfes s'étaient déjà livré des guerres cruelles dans l'espoir de régner sur les deux ressources les plus précieuses de la forêt : l'hydransie et les pierres de lune, également appelées arthémises.

L'hydransie possédait des vertus magiques, différentes pour les roufs et les elfes. Non seulement les roufs raffolaient-ils du goût de l'hydransie, mais elle leur procurait une force musculaire extraordinaire... à condition de ne pas en abuser. Les elfes pouvaient en absorber de grandes quantités, à l'état pur, ce qui enrageait leurs ennemis. Les roufs ne pouvaient consommer l'hydransie qu'à petites doses et ils devaient diluer le précieux liquide, sinon l'hydransie les plongeait dans un état comateux si profond qu'il pouvait entraîner la mort. Aux elfes, l'hydransie fournissait les nutriments essentiels sans lesquels leurs ailes fragiles n'étaient que de friables parures. En gros, l'hydransie permettait aux elfes de voler !

Jacob se demanda si l'hydransie aurait sur lui un effet miraculeux ou nocif. Il aurait également aimé en savoir davantage sur les pierres de lune et sur le crapoud qu'avait mentionné Grou, mais ce dernier se tut car ils venaient d'atteindre le village des roufs. Les maisons éparpillées parmi les collines herbues étaient basses et peu spacieuses, construites en bois, très simplement, avec un toit de branches et une minuscule cheminée de pierres rondes. Chacune était entourée d'une clôture, comme si les roufs tentaient de protéger leur espace contre une menace, et les quelques fleurs qui poussaient autour des maisons semblaient survivre par miracle. Les roufs s'étaient construit un village où tout semblait solide et fonctionnel mais sans plus ; ils semblaient peu soucieux de rendre ces lieux plus jolis.

Jacob songea qu'il n'y avait là rien de surprenant. Leur apparence trahissait les mêmes priorités. Seul le foulard qu'ils portaient au cou, taillé dans des tissus divers et très colorés, révélait un certain souci d'élégance ou de fantaisie. Un sourire effleura les lèvres de Jacob. Il venait de penser à sa sœur. Quel enfer ce serait pour Jacinthe Jobin de vivre dans un lieu où la seule façon de se distinguer physiquement consistait à choisir la couleur d'un fichu !

Les roufs portaient des vêtements simples, de couleur terne ; un pantalon et une veste pour les hommes, une jupe ample et un chemisier pour les femmes. Les barbus étaient chaussés de lourdes bottes de cuir usé et les femmes de sabots de bois grossièrement sculptés. Les uns comme les autres laissaient leur longue chevelure hirsute voleter dans tous les sens, ce qui leur donnait des airs de sorciers.

Les traits de leur visage formaient un curieux assemblage, alliant la finesse des elfes et la rudesse des gnomes ou des nains. Leur nez était large et court, avec des narines caverneuses et poilues, mais leurs lèvres étaient fines et leurs petits yeux très ronds frangés de longs cils drus. Ils avaient la peau plissée et ridée, les joues creuses et de grosses poches sous les yeux. Les hommes portaient une longue barbe dans laquelle plusieurs s'amusaient à faire des nœuds. Le plus étonnant, toutefois, était sans conteste leurs oreilles, larges et rondes, mais avec une pointe dressée sur le haut, un peu comme une antenne, et surmontée d'une touffe de poils fous.

Les roufs se rassemblèrent spontanément autour de leur chef. Une animation joyeuse régnait parmi eux. Le chef réclama le silence, mais plusieurs roufs avaient beaucoup de mal à contrôler leur excitation.

— Par les trompettes de Tar, si vous ne vous bouclez pas la margoulette, j'annule la fête, je vous renvoie à vos travaux et je chasse l'étranger, tonna le chef.

Le silence se fit aussitôt.

— Un... deux... trois... commença le chef en parcourant l'assemblée de ses petits yeux vifs.

À « trois », quelques barbus remuèrent, prêts à courir, ce qui leur valut des grognements furieux de leurs comparses. Le chef marqua une pause et les fusilla du regard. Tous les roufs étaient suspendus à ses lèvres.

— Quatre... treize... douze... sept... et...

Il attendit quelques secondes avant d'ajouter :

— Qu'attendez-vous, bande de bougalous ? Que la fête commence !

Des rugissements de joie accueillirent l'annonce et les roufs se précipitèrent aussitôt dans tous les sens, chacun visiblement bien informé de ce qu'il devait faire.

Jacob avança vers le chef.

— La fête durera-t-elle longtemps ? demanda-t-il.

— C'est bien la première fois que j'entends quelqu'un s'inquiéter de la durée d'une fête, lui reprocha le barbu. Tu mériterais de ne pas y assister. Disparais de ma vue avant que je ne te transforme en crapoud !

— J'ai besoin de savoir… insista Jacob. Pour le xélou… Quelqu'un s'occupe-t-il de lui ? Va-t-on lui donner de l'hydransie ?

Une flambée de colère empourpra le visage du chef.

— Essaies-tu de te défiler, sale vilain petit étranger ? Nous avons fait un pacte. Si tu es trouvé vivant à l'aube après une nuit à découvert sur les collines, nous consentirons très honorablement à nous départir d'un flacon d'hydransie pour sauver le bébé xélou. Sinon, tant pis. Le xélou mourra… par ta faute !

Jacob inspira profondément et s'obligea à compter lentement et silencieusement jusqu'à dix. Sinon, il aurait fondu sur le chef pour lui arracher sa barbe. Il s'affaira plutôt à trouver Petit Poilu. Il avait besoin de le voir. Jacob redoutait qu'il soit encore dans les bras du rouf balafré. Il fut soulagé de découvrir que c'était la femme qui avait parlé d'hydransie qui en avait la garde. Alors que tous les autres roufs préparaient la fête, elle s'était installée à l'écart sur un talus et Jacob eut l'impression qu'elle l'attendait. Dès qu'elle le vit approcher, elle se leva et se dirigea vers une petite maison.

Jacob la suivit. Avant d'entrer, elle jeta un regard inquiet autour d'elle, parut satisfaite de ne voir personne, et poussa Jacob à l'intérieur.

— Je n'ai pas le droit de lui donner de l'hydransie, déclara-t-elle aussitôt d'une voix ferme où perçait le regret. Mais je vais l'installer sur mon lit et le couvrir de feuilles de chêne.

Jacob contemplait Petit Poilu, le cœur dévasté. La pauvre petite chose semblait si peu vivante. Émue par le désarroi de Jacob, la femme ajouta :

— Le lait contenu dans les feuilles de chêne aidera ton xélou à se déshydrater moins vite.

Elle parut réfléchir un moment avant de poursuivre :

— Sois vigilant. On ne sait peut-être pas si l'ogre des collines existe vraiment, mais on sait que quelqu'un ou quelque chose a dévoré trois des nôtres d'une manière horrible. C'est moi qui ai découvert le dernier corps. Personne d'autre ne l'a vu. Il ne restait pas seulement un foulard… Ce que j'ai trouvé était… épouvantable !

Un frisson d'effroi parcourut Jacob.

— Tu ne savais pas ce que tu risquais en acceptant la proposition du chef, et tu ne peux plus te défiler maintenant, ajouta la femme. Alors, écoute-moi bien… Quoi qu'il arrive cette nuit, ne te laisse pas engourdir par la peur et reste toujours alerte. Sinon, tu es mort. Et ton xélou aussi.

Jacob s'approcha pour caresser Petit Poilu avant de repartir. La femme le laissa faire et elle en profita pour se présenter.

— Je m'appelle Maïra. Je suis l'aînée de tous, ici. Je connais les forces et les travers de tous les roufs des collines, dit-elle encore sur un ton plein de sous-entendus.

— Moi… C'est Jacob. Jacob Jobin…

Il hésita quelques secondes. Cette femme lui inspirait confiance. Et il se sentait si seul.

— Je viens… d'ailleurs, continua-t-il. Et je ne sais pas vraiment ce que je fais ici. Ni où je dois aller. Avant de trouver le petit xélou, je cherchais…

Jacob fut pris d'un vertige. Que cherchait-il? Que faisait-il? Quelle était cette mission dont il se croyait chargé?

— Dis-moi… l'encouragea Maïra.

Jacob eut soudainement l'impression de mieux saisir ce qu'il était venu faire dans cet autre monde.

— Je cherche… quelque chose… je ne sais pas quoi encore… pour sauver quelqu'un…

— Tu parles du xélou ou d'une autre personne? s'enquit la femme d'une voix chaude et invitante.

Jacob s'entendit décrire à Maïra la jeune inconnue à la longue chevelure flamboyante qu'il avait découverte sur un lit d'hôpital et ce qu'il avait éprouvé en sa présence. Il lui confia également comment il s'était senti investi d'une mission avant même de basculer dans ce nouveau monde. L'aînée des roufs semblait boire ses paroles, attentive à chaque mot. Lorsqu'il se tut, elle l'observa longuement, en proie à un grand émoi.

— Ce que j'avais anticipé est juste, murmura-t-elle comme pour elle-même.

Elle inspira profondément avant d'ajouter d'une voix altérée par l'émotion :

— Ne parle de cette jeune inconnue à personne, Jacob Jobin. C'est très important. Toutes les créatures du royaume caché pleurent sa disparition. Celle que tu décris s'appelle Youriana. Elle est la fille de la reine des fées. Il y aura bientôt cent saisons que le roi est décédé et il est écrit que le jour du centième anniversaire de la mort du roi, la reine mourra à son tour et la princesse deviendra la nouvelle souveraine. Malheureusement, à la naissance de Youriana, Zarcofo lui a jeté un sort. Ce sorcier est la créature la plus maléfique de tout le royaume caché. La seule évocation de son nom terrorise tous les petits êtres féeriques. Selon les prédictions maudites de Zarcofo, Youriana était condamnée à disparaître après la mort de son père. Et c'est bien ce qui s'est produit. Malgré mille précautions, la reine des fées n'a pas pu éviter la disparition de sa fille adorée. Certains disent qu'elle s'est enfuie. D'autres, qu'elle est encore ici, mais qu'on ne la voit pas. D'autres encore soutiennent qu'elle est ailleurs et en grave danger.

— Et vous… que pensez-vous ? demanda Jacob, dont la voix n'était plus qu'un filet tant il était bouleversé par ce récit.

— Je pense qu'elle s'est réfugiée dans ton univers. Je crois aussi que tout ce qui arrive devait arriver et que seule la reine des fées sait ce qui doit être fait. Mais depuis la disparition de Youriana, elle n'a rien statué et elle reste enfermée dans son château d'hiver.

— Et que se produira-t-il si, le jour du centième anniversaire de la mort du roi, Youriana n'est pas revenue ?

À l'évocation de cette perspective, Maïra ferma les yeux comme pour échapper à une scène d'épouvante.

— Si jamais ce jour arrive, ce sera la fin du royaume caché, déclara-t-elle gravement. Le fragile équilibre entre les forces du bien et du mal sera détruit. Les elfes et les roufs rompront leurs pactes de paix et se battront à mort, les géants et les goules s'entretueront sauvagement, les dragons abandonneront leurs trésors enfouis et répandront leur colère en crachant des gerbes de feu qui incendieront forêts et collines, les ondins fuiront leurs marécages pour étrangler tout ce qui bouge autour d'eux avec leurs longues pattes gluantes. Toutes les créatures des mers comme du ciel, du dessus comme du dessous de la terre, perdront la raison et donneront libre cours à leurs plus viles pulsions. Voilà ce qui arrivera si Youriana ne revient pas.

Maïra se tut. Ce qu'elle venait d'évoquer la perturbait. Jacob réfléchissait à toute vitesse, le cerveau bombardé par une multitude de questions.

— La seule présence de Youriana changerait tout? demanda-t-il.

Maïra perçut son incrédulité et le gratifia d'un sourire attendri.

— Les souverains des fées sont des êtres uniques. Leur pouvoir est inestimable. Ils savent comment étouffer le malin et laisser fleurir le bien. Youriana est une fée de la plus haute lignée. Elle mérite parfaitement de succéder à ses parents. L'équilibre du royaume caché repose sur de tels souverains qui ensoleillent et pacifient, rassemblent, guident et inspirent. Ils ne peuvent pas transformer l'âme de chacun, mais ils parviennent à atténuer les différends entre les peuples. Ainsi, les roufs et les elfes se battent encore souvent pour le contrôle des sources d'hydransie, mais grâce à la reine des fées, ils n'essaient plus par tous les moyens de s'éliminer mutuellement comme en des temps infiniment plus barbares.

Jacob tentait d'absorber toutes ces informations, partagé entre la peur de ce qui l'attendait et la soif d'en apprendre davantage sur le royaume des fées. Il ressentit le besoin d'être seul afin de rassembler ses forces avant la nuit et aussi pour faire le point et essayer de mieux cerner son rôle à lui, Jacob Jobin, sur ce grand échiquier. Il remercia Maïra, fit un pas pour s'éloigner, mais au dernier moment, une impulsion soudaine le retint. Il venait de sentir, au creux de son ventre, une vérité nouvelle. Cette femme n'appartenait pas au peuple des roufs. Elle lui rappelait quelqu'un, mais il n'arrivait pas à déterminer qui.

— Qui êtes-vous? ne put s'empêcher de demander Jacob.

Maïra ne dit rien, mais un éclair brillant la métamorphosa pendant un très bref instant et Jacob la reconnut.

C'était Léonie.

LA NUIT DE L'OGRE

Pendant que Jacob s'entretenait avec Maïra, les roufs avaient allumé un grand feu de joie et installé de longues tables de bois qui étaient déjà recouvertes de plats, de marmites et de jarres desquels s'échappaient des odeurs surprenantes. Un peu partout, près du feu comme autour des tables, et plus loin parmi les premières collines, des roufs dansaient librement en s'abandonnant au simple plaisir de bouger et de s'exprimer. Quelques musiciens armés d'ustensiles et de chaudrons formaient un joyeux orchestre accompagné d'un concert de rires et de cris divers. Les roufs s'en donnaient à cœur joie avec des sauts, des culbutes, des pas désordonnés et des rondes endiablées.

Dès qu'ils aperçurent Jacob, plusieurs roufs, des femmes surtout, entamèrent de vives discussions dont quelques-unes dégénérèrent en engueulades, chacun se disputant l'honneur de lui faire goûter à un plat. Prudent, Jacob n'accepta qu'une bouchée de chaque mets. Il avait appris de Grou que l'hydransie, par exemple, agissait différemment sur les elfes et les roufs et que, prise en grande quantité, ses pouvoirs pouvaient être fulgurants. Or il ne savait pas comment un humain réagirait à toutes ces substances étrangères et il tenait à être au mieux de sa forme pour traverser la nuit.

Jacob comprit rapidement qu'il n'aurait pas pu absorber de grandes quantités de cette nourriture de toute manière. La plupart des mets lui déplurent et plusieurs lui soulevèrent l'estomac. Il faillit cracher un ragoût très parfumé qui goûtait le savon et il s'étouffa en mordant dans un petit fruit tellement piquant qu'il en eut des larmes aux yeux. Les roufs autour de lui hurlèrent de rire lorsqu'il fut clair que Jacob avait la bouche en feu.

Un incident alerta le jeune garçon et lui confirma l'importance de rester sur ses gardes. Une femme lui offrit un breuvage qui ressemblait à une limonade. Jacob allait l'avaler d'un trait car il avait soif, lorsque son œil secret l'alerta d'un danger. Il eut tout juste le temps de voir le rouf qu'il soupçonnait d'atrocités s'éloigner furtivement. Jacob scruta le visage de la femme, qui baissa les yeux avant de s'éloigner. Dès qu'il put le faire discrètement, Jacob se débarrassa du breuvage.

Aux yeux de Jacob, la fête s'étira pendant un temps interminable. Il s'inquiétait de son protégé comme de la longue veille qui l'attendait. Lorsque l'obscurité avala soudainement tout, les roufs manifestèrent bruyamment leur déception et presque aussitôt, ils coururent se réfugier dans leurs maisonnettes de bois. Jacob conclut qu'ils avaient peur de la nuit.

Il resta seul près du feu. Il aurait souhaité pouvoir continuer à l'alimenter pendant la nuit, mais il n'y avait pas suffisamment de bois. Le feu mourut bientôt, abandonnant Jacob à la noirceur totale. Il comprit alors combien sa position était vulnérable. Quelle que soit la menace qui pouvait planer, quelles que soient les puissances maléfiques

– ogres, roufs ou autres créatures – tapies dans cette nuit trop noire, il ne verrait rien approcher. L'ennemi, s'il existait et s'il connaissait bien les lieux, pourrait fondre sur lui à tout moment.

« Si au moins je savais ce qui m'attend », se plaignit Jacob. Il devait sauver Petit Poilu en survivant à cette longue veille, mais après ? Jacob se souvenait de l'avertissement de la dame bleue : « Il te faut absolument réussir cette première mission si tu souhaites atteindre ce que tu dois atteindre. »

Cette aventure chez les roufs ne l'éloignait-elle pas de sa mission principale ? Qui était… quoi ? Sauver une princesse ? Comme dans les contes de fées ?! Cette fois, Jacob ne parvint pas à se moquer de lui-même. Il était bel et bien plongé dans un monde magique dont il ne savait ni quand ni dans quel état il sortirait. Ni même s'il parviendrait à en sortir…

Il tenta de mieux évaluer la situation. Maïra avait été claire. Ogre ou pas, il devait rester alerte. Sinon, que pouvait-il faire ? Il ne possédait aucune arme et le pacte qu'il avait conclu avec le chef des roufs lui interdisait de se cacher. Si seulement il pouvait voir venir le danger…

Une idée germa peu à peu dans son esprit. Un piège… Oui ! L'obscurité le rendait beaucoup trop vulnérable. En tendant un piège à l'ennemi, il pourrait au moins gagner du temps. Découvrir l'attaquant, se ressaisir, se défendre… Il pouvait difficilement tendre un piège à une créature monstrueuse qui fondrait sur lui en volant, par exemple. Mais si les doutes de Jacob s'avéraient justes, il pouvait peut-être trouver un moyen de déjouer le rouf balafré qu'il soupçonnait d'avoir commis des crimes horrifiants.

Pendant qu'il réfléchissait à son piège, Jacob commença à piocher le sol du bout d'un pied sans trop s'en apercevoir. Au bout d'un moment, il découvrit qu'il venait de creuser un trou. Jacob se pencha afin d'examiner le sol. On aurait dit du sable tant cette terre était meuble et pourtant, il suffisait de la presser un peu pour qu'elle garde sa forme, comme l'argile. Jacob s'agenouilla et entreprit de creuser une tranchée peu profonde autour de lui. Il y consacra un temps inouï. Heureusement, la nuit était calme et Jacob avait commencé à apprivoiser les ténèbres. Un peu à la manière d'un aveugle, il s'était trouvé des repères pour se déplacer sans se désorienter.

Malgré tout, son corps se fatiguait, la tâche qu'il avait entreprise étant éreintante. La peau au bout de ses doigts était à vif et il éprouvait de plus en plus le besoin de s'arrêter pour dormir. Chaque fois que ce désir devenait trop pressant, les paroles de Maïra lui revenaient : il devait absolument rester alerte.

Une fois la tranchée creusée, Jacob calcula qu'un rouf avait environ une chance sur trois d'y perdre pied, car le sillon de la profondeur d'un avant-bras n'était pas très large. Tout dépendrait de la foulée de l'attaquant. Avec un peu de chance, il pouvait éviter le piège.

Jacob ne sut jamais où il en trouva le courage, mais il entreprit de creuser une seconde tranchée. Il s'y attaqua avec encore plus d'énergie, car dès qu'il ralentissait le rythme, le sommeil menaçait de l'engloutir. En tâtonnant longtemps, il trouva une pierre plate et acérée pour s'aider.

Ses mains abîmées lui faisaient mal et à force de lutter contre la fatigue, il avait l'impression que sa tête allait éclater. Une fois ce deuxième piège terminé, Jacob calcula qu'un rouf qui tenterait de l'attaquer avait sans doute plus de deux chances sur trois de trébucher. Ainsi, en toute logique, il aurait dû creuser encore une autre tranchée, mais c'était au-dessus de ses forces. Jacob décida qu'il était plus sage de se garder un peu d'énergie. Une fois totalement abruti, il deviendrait trop vulnérable.

Il crut tout à coup percevoir un faible bruit, tendit l'oreille, attendit. Rien. Un détail inquiétant lui revint alors de ses lectures chez son parrain. La plupart des créatures merveilleuses possédaient des attributs ou des pouvoirs magiques qui leur servaient de moyens de défense. Ainsi, par exemple, les elfes pouvaient s'envoler et, dans certaines circonstances, les nains savaient comment devenir invisibles. Même s'il n'avait rien lu sur les roufs, Jacob devinait que c'était aux nains et aux gnomes qu'ils ressemblaient le plus. Jouissaient-ils eux aussi du don d'invisibilité?

Jacob n'avait pas amorcé son guet depuis très longtemps lorsqu'il lui sembla à nouveau déceler un faible bruit. Il tendit l'oreille et crut percevoir un froissement. Puis, plus rien. Mais son œil magique l'avertissait maintenant d'une présence et il savait de qui il s'agissait. Il y eut alors un bruit mat. Le visiteur venait de tomber à quelques mètres de Jacob.

Jacob serra dans sa main la pierre qui lui avait servi d'outil et il attendit. Le rouf s'était-il enfui? Ou le guettait-il à son tour? Jacob n'arrivait plus à sentir sa présence.

L'ennemi avait-il compris qu'il possédait un sixième sens et avait-il trouvé une manière de le déjouer ?

Soudain, Jacob le repéra à quelques centimètres de lui. Il eut tout juste le temps d'abattre sa main tenant la pierre tranchante. Un cri de douleur déchira les ténèbres. Saisi, Jacob vacilla et s'écrasa à son tour sur le sol.

Il s'efforça de rester parfaitement immobile. Son cœur faisait un tel vacarme qu'il n'entendait rien d'autre. Pour la première fois de sa vie, il avait délibérément blessé quelqu'un. Mille fois, en compagnie de Simon-Pierre, il avait dû attaquer d'invisibles ennemis à grands coups d'épées, de sabres ou de lances. Mais il n'y avait jamais de cris, jamais de conséquences. Il attendit encore longtemps, son arme à la main, avant de bouger et de respirer normalement, mais il eut beau se concentrer, fouiller l'espace autour de lui de son œil magique, il ne décela plus rien.

Jacob se releva très lentement et sans bruit. En prenant appui sur le sol, sa main gauche frôla un objet. Jacob l'examina de ses doigts meurtris. C'était un fil de fer, très mince et très tranchant.

Il n'y avait pas d'ogre des collines, ce monstre agresseur n'était qu'une construction de l'esprit. Mais il existait parmi les roufs un individu capable de gestes d'une rare cruauté. Il avait tenté de lui trancher la gorge. Et pour faire quoi, après ? Le livrer en pâture à des bêtes ou le dévorer lui-même ?

La longue nuit de veille se poursuivit sans autre surprise, dans un silence si profond que Jacob avait de plus en plus de difficultés à lutter contre le sommeil. Pour rester alerte, même s'il croyait que le rouf balafré n'attaquerait plus, Jacob songea à Petit Poilu en détresse et il se répéta souvent les paroles de Maïra. Malgré ses résolutions, son esprit commença bientôt à flotter et il eut l'impression de dériver tout doucement sur une eau tranquille. À quelques reprises, il se secoua, découvrit qu'il ne dormait pas, qu'il se souvenait d'où il était et de ce qu'il y faisait, et alors, rassuré, il se laissa porter à nouveau par un courant invisible.

Peu à peu, l'espace confortable entre le sommeil et la veille où Jacob errait se modifia. L'air s'alourdit de menaces invisibles. Jacob sentit d'abord un vent tiède et âcre sur sa peau. L'obscurité s'épaissit encore davantage et le silence devint si pesant que Jacob crut y distinguer un tumulte mystérieux. Des effluves nauséabonds l'envahirent ensuite et, dans un éclair de lucidité, Jacob crut reconnaître une haleine de bête.

Il ouvrit les yeux. Il lui sembla d'abord que rien n'avait changé. Peu à peu, il nota une luminosité nouvelle. Pourtant, ce ne pouvait pas être un début d'aurore, car le jour apparaissait toujours brutalement dans cette contrée. Jacob leva les yeux et il poussa un hurlement effroyable.

LE NOM DE LA BÊTE

On aurait dit les voiles sombres d'un gigantesque navire claquant rageusement dans le ciel obscur. Jacob distingua bientôt la gorge rubis de l'oiseau géant et le bec qui semblait avoir été coulé dans de l'or pur. L'effet de lumière provenait du plumage d'un noir violacé qui scintillait à chaque battement d'ailes dans l'espace ténébreux.

La taille de l'animal était effarante. Son bec était plus gros que le corps de Jacob. Le monstre ailé planait maintenant, ses larges ailes remuant à peine. Jacob observait, épouvanté, les lents déplacements de la bête. Lorsqu'elle descendit en piqué et ouvrit son large bec comme pour attaquer avant de remonter soudain au dernier moment, Jacob crut mourir d'effroi. L'animal émit alors un bruit de soufflet et répandit une odeur pestilentielle. Puis il poussa un braillement rauque qui glaça le sang de Jacob et continua de planer si près de sa proie que le jeune garçon sentait sur sa peau le vent de chaque battement d'aile.

Jacob ne possédait aucune arme et il n'y avait pas d'issue. Tous les mots nobles dont il s'était nourri lors des missions en forêt avec Simon-Pierre – courage, force, volonté, persévérance… – lui apparaissaient soudain vides de sens. Il était livré en pâture à une gigantesque créature contre laquelle il ne pouvait rien. La bête s'approcha de nouveau. Jacob pouvait maintenant entendre le souffle de l'animal expulsant l'air fétide de ses naseaux.

L'horreur figeait tous ses membres. Son cœur semblait vouloir défoncer sa poitrine et ses pensées n'étaient plus qu'un amas de peurs confuses. « C'est moi qui ai découvert le dernier corps, avait raconté Maïra. Ce que j'ai trouvé était… épouvantable. » Un seul souhait habitait Jacob : ne pas souffrir.

— Je vais mourir, s'entendit-il murmurer.

Les mots résonnèrent longtemps en lui. Il avait refusé de croire à un ogre ou à un autre épouvantable ennemi. Il s'était cru capable de traverser la nuit, mais il s'était trompé. Il allait mourir. Il n'aurait plus à lutter ni à souffrir ni à avoir peur.

Une grande tristesse le submergea alors qu'il avait une dernière pensée pour tous ceux qu'il ne reverrait plus. Ses parents, sa sœur, Éloi, Théodore, Léonie, Fandor… Et Simon-Pierre.

Jacob avait vécu le suicide de son frère comme un abandon. Simon-Pierre les avait quittés. Jacob avait du mal à admettre qu'il ne reviendrait jamais. Et voilà que la mort prenait maintenant tout son sens. Il ne reverrait jamais Simon-Pierre.

Des larmes roulaient sur ses joues. Sa peine jaillissait soudain sans retenue. Il pleurait ce qui avait été et ce qui aurait pu être. Il pleurait son ancienne vie dans la maison familiale, où il avait accepté de ne pas trouver sa place.

Une foule de petits moments bénis lui revinrent en désordre : cet après-midi où Simon-Pierre l'avait proclamé chevalier avec un bout de branche en guise d'épée, sa dernière conversation téléphonique avec sa sœur, les petits gâteaux au miel de Léonie, la caresse de sa mère la veille de son départ alors qu'il faisait semblant de dormir, les grands yeux caramel de Fandor, le bruissement des herbes folles dans la clairière, le regard de son parrain juste avant qu'il prenne la clé… Jacob découvrait que tant d'instants qui lui avaient semblé banals se révélaient soudainement précieux.

Le monstre volait toujours très bas, criaillant et griffant l'air de ses pattes puissantes. Jacob eut l'impression qu'en tendant un bras, il pourrait effleurer son plumage. L'attaque était imminente.

Il y eut un nouveau bruit de soufflet, suivi d'une exhalaison pestilentielle. Ensuite résonna un cri tel que Jacob aurait peut-être succombé à la terreur avant même que le monstre ne fonde sur lui, s'il n'avait été soudainement happé par un souvenir. Une vision enchantée qui sembla repousser la bête.

Une chambre d'hôpital. Des draps blancs. Une silhouette pâle, une chevelure de feu, des paupières fermées, des bras minces, une peau presque translucide. Mais tant de lumière, tant de chaleur, tant de magie, tant de force aussi, dans le corps gracile de la princesse endormie.

Une secousse atteignit Jacob en plein ventre. Il crut d'abord à une attaque du monstre. Non. Le coup provenait d'ailleurs. D'en-dedans de lui ! Jacob ressentit un éveil fulgurant alors même que les ailes de l'oiseau géant fouettaient rageusement l'espace autour de lui. Une énergie nouvelle bouillonnait dans son ventre. Elle fusait de ses entrailles, indomptée, indomptable, et irriguait tous ses membres.

— Je veux vivre, s'entendit-il murmurer.

Parce qu'il n'avait pas atteint le bout de sa route. Parce que Youriana l'attendait quelque part. Parce qu'elle avait besoin de lui pour revenir à la vie. Et parce qu'avant, il devait sauver Petit Poilu. Sa vie avait un sens. Il ne pouvait plus s'abandonner à la peur ou au désespoir. Il devait absolument survivre à cette nuit.

Une question, une seule, l'obsédait désormais.

— Comment? demanda Jacob à haute voix.

Des mots s'assemblèrent lentement dans son esprit. Au prix d'immenses efforts, il parvint à oublier la mort qui rôdait au-dessus de lui pour se concentrer sur le souvenir d'un passage de *La grande encyclopédie des fées*. Théodore Jobin faisait-il référence à des ogres, des géants ou des dragons dans cette partie de son ouvrage? Jacob se rappela seulement qu'il était écrit que les puissances maléfiques peuvent parfois être conjurées par la capacité des combattants à dompter la peur.

Sans pouvoir les rapporter, Jacob se souvenait du sens des explications de Théodore. Pour survivre, s'il en avait la possibilité, il devait empêcher la peur de l'atteindre. Tout cela ressemblait beaucoup à ce que croyait Simon-Pierre sans qu'il y ait de monstres en cause. « La peur est ton pire ennemi, Jacob. Tu es grand et fort. Il faut que tu croies en toi », lui avait souvent répété son grand frère au cours de leurs étés enchantés.

C'était une question de foi. De foi en soi. Il n'existait pas d'autre arme. Il devait croire en lui-même et *décider* de vivre. Le décider férocement, sans aucune hésitation. Puis vaincre la peur. Sans crier, sans bouger, dans le terrible silence de cette trop longue nuit. Refuser d'être une victime. Croire en ces forces vives enfouies au fond de lui. Et les utiliser pour abolir la peur et faire fuir l'ennemi.

Jacob se roula en boule, les genoux relevés, la tête entre les cuisses, les bras serrés autour de ses jambes. Son corps était comme un poing refermé, parfaitement immobile, mais en lui des puissances secrètes s'activaient.

Il parvint peu à peu à bloquer tous les sons. Il n'entendait même plus les claquements d'ailes et les sifflements furieux. Il réussit également à soustraire à ses sens l'odeur fétide du monstre et les éclairs jaunes fusant de son plumage, qui jusqu'alors l'épouvantaient même lorsqu'il avait les yeux clos.

Jacob resta longtemps recroquevillé, entièrement occupé à nourrir le brasier dans son ventre. Un feu de foi et de résistance. Une ardeur secrète, mais extraordinairement puissante. La peur sommeillait toujours en lui et le désespoir le guettait encore, mais Jacob les repoussait avec vigueur.

Au terme d'une longue bataille silencieuse, il se décida enfin à ouvrir les yeux et faillit suffoquer de terreur. Il crut d'abord qu'un autre monstre avait envahi les ténèbres. Puis il comprit que c'était toujours la même créature, qu'il n'avait simplement pas encore eu le courage de bien observer. Les griffes acérées et le bec redoutable n'étaient pas ce que l'animal offrait de plus inquiétant. Son ventre était recouvert d'écailles argentées, chacune piquée d'un dard qui palpitait au rythme des respirations du monstre ailé. Mais le plus effroyable était sans conteste l'interminable queue, souple et mobile comme un corps de serpent, qui fouettait l'air sauvagement. Une crête écarlate coiffait cette fabuleuse excroissance dont la pointe en forme de flèche, qui semblait avoir été trempée dans le sang, constituait une arme redoutable.

Cette bête avait un nom. C'était un dragon.

Jacob s'obligea à garder les yeux ouverts afin d'apprivoiser la vision cauchemardesque. Il garda son regard rivé sur le monstre, qui n'en finissait plus de rugir et de glapir, jouant du bec et des griffes, battant la nuit à grands coups de queue et d'ailes.

Le dragon souffrait de la résistance passive de son adversaire. Jacob en était sûr. Le monstre voulait lui asséner un coup fatal, mais il en était incapable. C'était comme si Jacob était protégé par une invisible armure. Alors, dans un ultime effort, la bête émit un cri diabolique, à faire trembler les pierres et tomber tous les boucliers.

Jacob tint bon. Et même, pour se prouver que la peur n'avait pas de prise sur lui, il déplia son corps et se releva lentement afin d'affronter l'ennemi. Alors, la bête s'approcha si près de lui que Jacob ne vit plus que deux yeux jaunes vitreux et un naseau frémissant. Le dragon émit un nouveau bruit de soufflet et cracha une fabuleuse gerbe de feu. Jacob crut qu'il allait brûler vivant, mais les flammes ne l'atteignirent pas. Soudain, la créature poussa un râle avant de disparaître en laissant derrière elle une longue traînée de feu.

L'HYDRANSIE

Le jour apparut subitement et de manière toujours aussi fracassante. L'aube proche avait-elle contribué à faire fuir la bête ? Jacob n'eut pas le temps d'y songer, ni même de mettre un peu d'ordre dans ses émotions. Dès que la lumière blanche du jour éclaircit le ciel, il fut assailli par une horde de roufs déchaînés. Avant même qu'il ait pu se demander ce qui lui arrivait, des barbus l'arrachèrent au sol, ce qui déclencha un tonnerre d'applaudissements. Jacob fut alors promené triomphalement parmi les collines. Tous les roufs, hommes et femmes, étaient au comble de l'excitation.

La foule s'arrêta devant la maison du chef, qui les y attendait.

— Déposez-le ! ordonna le vieux barbu.

Jacob atterrit un peu brutalement sur le sol.

— Espèces de têtes de galfaga ! gronda le chef.

Les porteurs se confondirent aussitôt en excuses et des femmes se précipitèrent sur Jacob pour balayer la poussière de ses vêtements et tâter ses membres afin de s'assurer que rien n'était brisé, ce qui parut à Jacob un peu ridicule.

— Je vais très bien, les rassura-t-il, amusé par cette débauche d'attentions.

Un murmure d'admiration parcourut la foule.

— Vous avez relevé le défi. Je vous félicite très élégamment et vaillamment, déclara le chef d'un ton pompeux, en accompagnant ses paroles d'une courbette que Jacob trouva plutôt comique, mais que les roufs s'empressèrent d'imiter.

— J'ai survécu à la nuit… c'est tout, résuma Jacob qui se découvrait timide devant les compliments.

Maïra s'avança.

— Tu as survécu à bien plus, Jacob Jobin. Ce n'est pas l'ogre des collines qui t'a visité, mais un dragonnet de l'armée de Zarcofo.

— Un dragonnet ?! s'étonna Jacob. Oh non ! Croyez-moi, c'était un véritable dragon. Il était immense.

— Je voudrais bien te donner raison, répondit calmement l'aînée des roufs, mais c'est impossible. Les dragonnets de Zarcofo sont des créatures réellement terrifiantes. Moi seule parmi tous les miens en ai déjà croisé un et le souvenir de cette rencontre hante encore mes nuits.

Jacob hocha la tête. Il savait que Maïra disait vrai.

— Nous pensions que tu ne résisterais pas à une attaque de l'ogre et tu as survécu à l'apparition d'un dragonnet de Zarcofo. L'ogre des collines, quel qu'il soit, puisque nous ne l'avons encore jamais vu, n'est qu'une malédiction mineure à côté des jeunes guerriers de Zarcofo.

Un concert d'approbation s'éleva de la foule.

— Les dragonnets doivent épouvantariser leurs adversaires avant de les attaquer, expliqua le chef des roufs. Sinon, leur pouvoir est nul. Tu n'as pas laissé la peur t'engloutir. Alors, le dragonnet a capitulé. Cela signifie que ton courage est très grand.

— J'ai rempli mon engagement, remplissez le vôtre, déclara Jacob. Remettez-moi Petit Poilu et acceptez qu'on lui donne de l'hydransie.

Le chef claqua des doigts et une femme s'avança vers Jacob. C'était une rouf de très forte taille, courte mais large. Ses cheveux étaient ramassés en un semblant de chignon, d'où émergeaient de longs cheveux blancs fillasses. Sa coiffure dégageait d'impressionnantes oreilles. Dans ses bras robustes, elle portait un paquet de tissu. Jacob sentit un étau lui serrer la gorge. Petit Poilu était-il mort ou agonisant ?

Jacob arracha le paquet des mains de la femme. Un mouvement de la foule lui signala que les roufs n'appréciaient pas son geste, mais son nouveau statut de héros semblait lui permettre d'agir ainsi sans risques de représailles. Jacob s'empressa de déballer le corps de son petit protégé. Il découvrit une boule de poils inerte. Les yeux de Petit Poilu restaient clos et il ne réagissait à rien, ni paroles, ni souffles, ni caresses. Seul un faible remuement du ventre indiquait qu'il respirait toujours.

Jacob allait réclamer de l'hydransie lorsque Grou, le barbu avec qui il avait conversé en route vers les collines, lui tendit un minuscule flacon. Petit Poilu émit une plainte, à peine audible, mais déchirante. Il souffrait. Jacob se demanda s'il n'aurait pas dû confier la petite créature aux roufs. Il se sentait bien inexpérimenté pour prendre charge d'une si petite chose. Heureusement, son regard se posa sur Maïra qui, d'un geste, lui indiqua comment faire.

Jacob versa quelques gouttes d'hydransie sur le bout de ses doigts et les posa délicatement sur le museau de Petit Poilu. La petite boule de poils ne réagit pas. D'un coup d'œil, Jacob interrogea Maïra. Elle eut un mouvement de tête pour lui faire comprendre que tout allait bien. Jacob devina que l'aînée des roufs tenait à l'assister discrètement, sans doute pour l'aider à préserver son statut de héros. Il entreprit de chuchoter des paroles apaisantes à son petit protégé.

Jacob ne put réprimer un mouvement de sursaut quand soudain une petite langue râpeuse vint lécher le bout de ses doigts. Il versa à nouveau quelques gouttes sur ses doigts et cette fois, Petit Poilu les lécha avidement. Alors, Jacob laissa couler un peu d'hydransie au creux de sa paume. Le xélou lapa presque tout le précieux liquide de sa langue agile. À la fin, il ne restait plus que quelques gouttes de l'épais liquide ambré. Petit Poilu semblait rassasié. Comme Jacob savait que l'hydransie pouvait présenter des propriétés désastreuses si on en prenait en excès, il résolut d'attendre avant de lui en donner davantage.

L'effet de l'hydransie sur Petit Poilu fut presque immédiat. La minuscule créature commença bientôt à s'agiter comme si elle en avait déjà assez d'être dans les bras de Jacob. Le jeune garçon déposa son protégé sur le sol et ce dernier émit aussitôt des cris de joie. C'était comme une nouvelle naissance. Il se mit à sautiller gaiement en s'éloignant de Jacob. Tous les roufs assistaient à la scène, mi-amusés, mi-curieux. Soudain, Petit Poilu s'arrêta, se retourna, découvrit Jacob qui l'observait et émit une sorte de « couiic » qui semblait exprimer de manière parfaite tout son bonheur d'être vivant. Il sautilla jusqu'à Jacob et, dans un mouvement qui surprit tous les spectateurs, bondit dans les bras de son protecteur. La foule éclata de rire et Jacob frotta avec plaisir la petite tête poilue. Il sentait qu'il venait d'être officiellement reconnu comme premier responsable du jeune xélou.

Un gong retentit. Les rires cessèrent aussitôt et tous les roufs se renfrognèrent. Le bruit sourd semblait avoir pour fonction d'annoncer un événement pénible.

— Qu'est-ce que c'est ? demanda Jacob à Grou, qui était resté près de lui.

— C'est l'heure de descendre aux mines, expliqua Grou.

Jacob n'était guère plus éclairé.

— Est-ce si catastrophique ? demanda-t-il.

Grou prit un moment pour réfléchir.

— Viens, si tu veux… Tu pourras juger.

Jacob se tourna vers Petit Poilu qui gambadait joyeusement, le son du gong ne l'ayant pas ému. Croyant deviner la cause de l'hésitation de Jacob, Grou insista gentiment.

— Tu t'inquiètes pour le xélou ? Emmène-le, si tu veux, offrit le cadet des roufs.

Jacob était en proie à d'incontournables questionnements. Que devait-il faire ? Où devait-il aller ? Il n'avait pas de réponse. Épuisé par sa nuit et par toutes ces émotions, il décida qu'avant de partir vers l'inconnu, il devait s'assurer que son Petit Poilu était parfaitement rétabli.

Le sourire de Jacob fit comprendre à Grou qu'il acceptait l'invitation.

— Bien sûr, tu n'auras pas à travailler, crut bon de préciser Grou. Mais si jamais tu trouves une pierre de lune et que tu ne la veux pas, eh bien…

— Je te la donnerai, promit Jacob.

— Merci, répondit Grou, le visage rayonnant.

— Allez, vite ! Tous les mâles au poste de descente, ordonna le chef. Et vous, les femelles, il faudra redoubler d'efforts aujourd'hui. Je veux au moins deux grands seaux de racines de yacoub pour en extraire de l'hydransie.

Un premier cortège de femmes se dirigea vers la forêt en traînant les pieds.

— Si tout le monde atteint ses quotas, il y aura du crapoud au retour, promit le chef, ce qui eut l'heur de revigorer les troupes.

Les femmes accélérèrent le pas et les hommes se dirigèrent vers leur point de rassemblement sans trop rouspéter. Jacob les suivit, Petit Poilu accroché à son dos, en se demandant ce qu'il allait découvrir dans les entrailles de la terre.

LA MINE D'ARTHÉMISE

Les roufs accédaient à la mine d'arthémise par un long tunnel en pente douce dont l'entrée était camouflée par des bouquets de broussailles au pied d'une colline. L'ouverture était si étroite que Jacob parvint tout juste à s'y glisser. Avant de descendre, les barbus nouèrent autour de leur tête un fichu qui servait à retenir une sorte de bougie très courte et à peine plus large qu'un doigt, mais dont la flamme répandait une lumière très brillante que rien ne semblait pouvoir éteindre. Grou avait réclamé au chef une syre – c'était le nom de la bougie – et un fichu supplémentaires pour Jacob.

Pendant la descente, les roufs avancèrent en cortège, à la queue leu leu, derrière leur chef. Arrivé dans la galerie principale de la mine, Jacob reconnut Nadrin, le rouf balafré dont Grou lui avait appris le nom. Il se tenait un peu à l'écart. Il portait un gros pansement à l'œil droit ! La blessure semblait vilaine ; le tissu était maculé de sang. C'était bien lui qui l'avait attaqué pendant la nuit. Pourquoi ? Et pourquoi avait-il commis les atrocités dont il le soupçonnait ? Pouvait-il exister une alliance entre Nadrin et les dragonnets de Zarcofo ? Jacob caressa les pattes de Petit Poilu serrées autour de son cou. Aussitôt, la petite chose couina pour manifester sa joie et Jacob sentit une onde de bonheur l'envahir.

La galerie souterraine où ils étaient réunis formait un dôme avec un plafond très élevé au centre, mais à peine plus haut qu'un rouf près des murs. Des débris au sol indiquaient que les barbus y travaillaient à extraire un minerai des parois. L'arthémise, les fameuses pierres de lune !

Pendant que les barbus se dirigeaient vers un amoncellement d'outils, Jacob en profita pour explorer les lieux. Le plafond semblait recouvert d'une délicate dentelle noire. En s'approchant des murs, là où le plafond était plus bas, Jacob remarqua que cette dentelle remuait. Il l'éclaira avec la syre qu'il portait au front et fut saisi d'un frisson. Cette « dentelle » était en réalité un tapis d'araignées velues, qui s'affolèrent sous la flamme, leurs longues pattes gigotant nerveusement.

Le sol était mouillé et les murs suintaient. Mais ce n'est pas tant l'humidité qui retint l'attention de Jacob. Il était surtout frappé par la chaleur des lieux. L'air était étouffant. Grou revint bientôt avec un pic et un petit couteau qu'il glissa sous la ceinture de son pantalon. Des gouttes de transpiration perlaient déjà à son front.

Les premiers coups de pic surprirent Jacob. Chaque fois que la pointe de l'outil heurtait le roc, le bruit résonnait en s'amplifiant dans la vaste galerie. Lorsque tous les roufs furent à la tâche, le fracas devint si assourdissant que Jacob eut l'impression que c'était dans sa tête même qu'on martelait. Effrayé par le bruit, Petit Poilu s'était réfugié sous la chemise de Jacob, qui dut le caresser longtemps avant qu'il cesse de le griffer et s'endorme enfin malgré le vacarme.

La chaleur s'intensifia jusqu'à devenir insupportable. « Est-ce si catastrophique ? » avait demandé Jacob à Grou, à propos du travail dans la mine. La réponse était éloquente. Jacob était en sueurs et pourtant, il ne s'épuisait pas à marteler le roc comme tous les autres. Jacob repéra Grou et s'approcha de lui. Le cadet des barbus parvint à esquisser un sourire en apercevant Jacob. Grou était en nage et l'effort que réclamait de lui son travail déformait les traits de son visage. Jacob remarqua une fine poussière bleue sur le sol. Il aurait eu des tas de questions à poser à Grou, mais l'heure n'était pas aux discussions et, de toute manière, ils n'auraient jamais réussi à s'entendre parler. Alors, sans trop réfléchir, parce qu'il se sentait un peu fainéant d'être là à ne rien faire et sans doute aussi parce qu'il éprouvait déjà de l'amitié pour Grou, Jacob lui fit signe de prendre Petit Poilu pour que lui-même puisse le remplacer.

Grou était si fatigué qu'il se laissa choir sur le sol mouillé. Jacob entreprit d'imiter les roufs. Il découvrit rapidement que la tâche n'était pas facile. Le pic était lourd et il fallait le balancer d'une manière bien précise pour parvenir à arracher des morceaux de roc au mur. Dès qu'apparaissait un éclair bleu à leurs pieds, les roufs se penchaient pour l'examiner, puis le rangeaient dans une pochette accrochée à leur ceinture.

Jacob sentait qu'il ne pourrait pas continuer à fournir cet effort pendant longtemps. Il n'était pas du tout entraîné à cette tâche et la chaleur l'étourdissait de plus en plus. Il craignait maintenant de nuire à Grou, car le chef avait clairement énoncé que chacun avait des quotas à atteindre. Pour s'encourager et dans l'espoir d'aider Grou, Jacob décida de compter cinquante bons coups de pic avant de rendre l'outil. Après dix, il songea à réévaluer son objectif tant il était épuisé. Mais au treizième coup, un éclat bleu apparut à ses pieds. Grou, qui avait tout vu, s'approcha ; lorsqu'il découvrit la prise, un immense sourire éclaira son visage.

Alors, encouragé par ce petit exploit, Jacob continua, mais sans plus de succès. Trente-neuf, quarante, quarante et un, quarante deux... Cette fois, l'éclat de pierre à ses pieds était d'un bleu très vif irisé de magnifiques courants émeraude. Grou bondit en voyant le fragment rouler sur le sol et les barbus autour de Jacob s'immobilisèrent.

— Chanceux ! grogna un barbu à côté de Grou. Ce n'est pas juste...

Grou était si content qu'il serra la taille de Jacob de ses courts bras robustes pour lui exprimer sa reconnaissance. Jacob remarqua ainsi que la tête de son ami lui arrivait au nombril. Grou était presque deux fois plus petit que lui. Pourtant, il était beaucoup plus fort et plus robuste. Le cadet des barbus remit Petit Poilu à Jacob et reprit son travail avec une ardeur nouvelle. Jacob se laissa tomber sur le sol. Petit Poilu dormait toujours. Quelques instants plus tard, Jacob s'assoupit à son tour, trop épuisé pour être incommodé par le bruit.

Lorsqu'il ouvrit les yeux, la galerie était presque silencieuse et Petit Poilu lui grattait énergiquement le ventre dans l'espoir d'être libéré. Jacob le sortit de sous sa chemise et le xélou se mit aussitôt à sautiller gaiement. Les barbus travaillaient maintenant à nettoyer leurs pierres à l'aide de petits couteaux. Dès qu'ils avaient terminé cette besogne, ils allaient présenter leur récolte au chef. En observant la scène, Jacob comprit plus clairement que toutes les pierres n'avaient pas la même valeur. Plus elles brillaient, plus elles étaient précieuses. Le chef rangeait les prises dans trois sacs différents, selon leur luminosité, après avoir inscrit sur une sorte d'ardoise la valeur du butin de chacun.

Quand Grou s'approcha, Jacob se sentit heureux. Grâce à lui, son ami allait présenter une pierre de belle valeur. Pourtant, Grou semblait d'humeur ombrageuse. Il remit ses prises au chef, qui les rangea presque toutes dans le même sac. Grou eut droit à un regard désapprobateur : son butin était à peine suffisant. Le chef hésita pendant un moment. Finalement, il inscrivit un signe à côté du nom de Grou, qui parut rassuré.

Nadrin se présenta le dernier. Jacob se demanda ce qu'il avait raconté aux siens pour expliquer sa blessure à l'œil. Jacob poussa un cri lorsque le rouf balafré exhiba la pierre d'un bleu profond parcourue de veines émeraude que Jacob avait lui-même arrachée au roc. Le chef se tourna vers Jacob, puis il examina le visage de Nadrin. Jacob aurait juré qu'il avait tout deviné. Le chef savait que Nadrin avait volé cette pierre. Pourtant, il ne dit rien. Alors, Jacob chercha Grou. La tête penchée, les épaules courbées par la fatigue, son ami attendait avec les autres le départ du cortège vers l'air libre.

Jacob se mit à réfléchir à toute vitesse. Grou ne pouvait pas avoir oublié la pierre qu'il lui avait offerte. Et il y avait eu des témoins lorsqu'il l'avait trouvée. Pourquoi ne dénonçaient-ils pas le voleur? Cette pierre que Nadrin venait de remettre au chef ne lui appartenait pas.

— Il l'a volée! s'entendit déclarer Jacob.

Un silence de mort suivit son exclamation. On aurait dit que tous les barbus avaient cessé de respirer. Nadrin posa sur Jacob un regard haineux rempli de défi. Le chef se composa un visage impassible, mais il était visiblement troublé. Il s'éclaircit la voix avant de demander :

— Peux-tu répéter, jeune étranger?

Le chef avait très bien compris, Jacob en était persuadé. Il semblait surtout vouloir offrir à Jacob une chance de se désister. Pourquoi? Jacob eut plus que jamais la sensation d'être effectivement un étranger. Pourquoi ne dénoncerait-il pas Nadrin? Les roufs n'avaient-ils donc pas compris que cet individu était fourbe et dangereux? Pendant que Jacob méditait sur ce qu'il devait répondre, Petit Poilu se dirigea vers lui en sautillant et bondit dans ses bras. La petite boule chaude donna de l'assurance à Jacob. Il se sentit soudain moins seul et plus fort.

— Nadrin a volé cette pierre à Grou. Il y a des témoins, déclara Jacob.

— C'est vrai? questionna le chef en parcourant les roufs d'un œil scrutateur.

Tous les barbus gardèrent les yeux rivés au sol.

— L'étranger ment, soutint calmement Nadrin.

— Vraiment? demanda le chef en se tournant vers Jacob.

Jacob n'en revenait pas. Le chef ne savait-il pas, comme les autres roufs, que Nadrin avait commis ce vol?

— L'un de vous deux ment, affirma le chef. Et chez les roufs, le mensonge est puni aussi sévèrement que le vol. Alors, comme c'est mon devoir, je dois vous soumettre à une épreuve qui servira à décider lequel de vous deux sera châtié.

— L'étranger a raison, admit Grou d'une voix tremblotante.

— Quoi? rugit le chef, stupéfait.

Jacob crut que l'épisode allait être bientôt clos. Grou venait enfin de dire la vérité et Nadrin allait être puni.

— Dois-je croire que tu viens de mentir toi aussi, puisque tu n'as rien dit avant? Ne sais-tu pas, petite tête de galfaga, que le silence peut être mensonge? Sache que selon la convention numéro mille quatre cent douze-treize de notre code de conduite, j'aurais le droit, sinon le devoir, d'annuler la première faute commise et de décider que c'est toi qui sera châtié. Sache, Grou, que c'est ton statut de cadet qui te sauve à l'heure précédente... euh... présente... et que c'est ainsi pour la première, seule et dernière fois. Es-tu bien informé de la chose?

Grou hocha gravement la tête. Il tremblait de tous ses membres. Quant au chef, la nervosité lui faisait perdre ses moyens.

— C'est toi qui décide de l'épreuve pour Nadrin et l'étranger, annonça-t-il à Grou. Choisis : physique, mentale ou magique.

Un murmure parcourut la foule des barbus.

— Mentale, s'empressa de répondre Grou.

Jacob comprit que son ami voulait l'aider à sauver sa peau. Nadrin était sûrement plus fort que lui physiquement et mieux versé en magie. Était-il également plus futé?

Le chef entreprit de se gratter la barbe et d'en tortiller quelques poils dans un effort de réflexion.

— L'épreuve sera… une devinette, annonça-t-il. Que celui qui crache le plus loin commence.

Nadrin l'emporta. Sans hésiter, il demanda, fier de lui :

— Qu'est-ce qui court sans arrêt, qui n'a pas de jambes et qu'on ne peut pas attraper?

Jacob n'en croyait pas ses oreilles. Simon-Pierre l'avait initié aux charades et aux jeux d'énigmes. Parfois, l'été, après de longues poursuites dans les bois à capturer des monstres fictifs, ils s'arrêtaient soudain et, le cœur battant, les jambes molles d'avoir tant couru, ils s'étendaient sur le sol moussu et inventaient des devinettes. Qu'est-ce qui est? Pourquoi? Qui suis-je?

La devinette de Nadrin était idiote. C'était une des plus élémentaires. Mais en quoi pouvait-elle déterminer qui d'entre lui et Nadrin disait la vérité? Les roufs confondaient-ils franchise et habileté? Ou était-ce simplement une manière expéditive de constituer un tribunal?

— La rivière, répondit Jacob sans hésiter.

Un murmure d'admiration s'échappa de la foule.

— À ton tour, dit le chef, visiblement très nerveux.

Nadrin était livide. Sans doute avait-il cru que l'étranger ne connaissait rien aux énigmes langagières. Jacob fouilla dans sa mémoire. Simon-Pierre l'avait toujours encouragé à chercher l'énigme qui non seulement pouvait confondre l'adversaire, mais aussi celle qui convenait le mieux à la situation. À l'époque, c'était un jeu amusant, sans conséquence. Cette fois, une lourde menace pesait sur Jacob.

Les autres connaissaient le châtiment qu'il encourait, mais Jacob ne pouvait que se perdre en suppositions. Il se souvenait de la première menace qui avait pesé sur lui à son arrivée : la décapitation ! Était-ce une blague ? Avaient-ils tenté de l'émouvoir en racontant que leur machine à décapiter était brisée depuis qu'ils avaient tranché la tête d'une goule ? Devrait-il avoir peur ?

Jacob eut une inspiration. Il venait de trouver l'énigme qu'il cherchait.

— Quels loups sont les plus dangereux ? Les gris ? Les blancs ? Les gros ? Les grands ? Ou d'autres encore ? demanda-t-il à Nadrin.

Tous les roufs se mirent à méditer. Nadrin semblait aux abois et incapable de se concentrer. Soudain, il cria d'un ton presque triomphal :

— Les gris !

— Non, répondit Jacob. Les plus dangereux sont ceux qu'on nourrit.

Des « Oh ! » d'admiration fusèrent, suivis d'un nouveau silence, effroyablement pesant.

— Qu'on procède ! clama le chef.

Deux roufs fondirent sur Nadrin pour l'immobiliser alors qu'il se débattait avec toute la force du désespoir. Lorsqu'il se laissa finalement maîtriser, le chef ordonna au condamné de fermer les yeux, de pivoter sur lui-même en tendant un bras et de s'arrêter pour désigner au hasard un rouf dans l'assemblée. Le bras de Nadrin s'arrêta sur un rouf nommé Pilou. Il ressemblait à tous les autres barbus, à ce détail près que le fichu à son cou était vert et noir.

Pilou se dirigea vers l'endroit où ils entassaient leurs outils et revint avec une hache. Le chef dut demander du renfort tant le condamné bataillait pour échapper à son sort. Les roufs désignés plaquèrent Nadrin au sol, ventre contre terre. Deux barbus s'assirent sur son dos. Deux autres maintinrent son bras gauche immobile et le dernier posa un pied sur son bras droit. Alors, celui qu'ils nommaient Pilou leva la hache au-dessus de la main gauche et l'abattit sur le poignet.

Jacob ne vit pas le membre se détacher. Il perdit conscience avant que le fer atteigne la peau.

ZARCOFO

Grou vivait seul depuis plus de soixante saisons dans une maisonnette de bois pareille à toutes les autres. Lorsque Jacob lui avait demandé qui étaient ses parents, Grou avait paru très surpris par la question et avait finalement admis qu'il ne le savait pas. Les roufs étaient enfants pendant une vingtaine de saisons, puis ils devenaient adultes et continuaient de vivre pendant des centaines de saisons. Dès leur jeune âge, ils ressemblaient à des vieillards, avec des cheveux blancs et une peau ridée.

Les naissances étaient rares, car la fertilité des femmes ne durait qu'une saison. Les enfants roufs grandissaient presque toujours seuls, sans amis de leur âge. Ils venaient au monde, se nourrissaient de lait de chêne en lapant comme Petit Poilu durant trois saisons, puis s'alimentaient seuls et étaient laissés à eux-mêmes avant d'intégrer le clan des adultes.

Les histoires de Grou fascinaient Jacob, aussi le jeune rouf lui en raconta-t-il pendant des heures pour l'aider à oublier le châtiment dont il avait été témoin. Grou savait que son ami serait longtemps obsédé par ce spectacle. Les roufs eux-mêmes ne s'habituaient pas à ces gestes barbares. Jacob devait aussi vivre avec l'idée qu'il avait failli être lui-même le supplicié. À la demande de Jacob, Grou lui expliqua pourquoi il n'avait pas immédiatement dénoncé Nadrin.

— Pour la même raison que tous les autres ! Nous savons ce qui attend les coupables, nous détestons voir ça et puis… dans le cas de Nadrin… nous avons peur.

— Dis-moi pourquoi, avait insisté Jacob.

— Nadrin est mauvais. En plus, il a des alliés secrets parmi nous. Alors, forcément, celui qui le dénonce est en danger…

— Tu crois que je suis en danger ? s'enquit Jacob.

— Peut-être, admit Grou, piteux. Et moi aussi… puisque je t'ai appuyé. Mais je pense que tu es moins en danger que moi…

Jacob attendit la suite des explications.

— Tu as réalisé un exploit pendant la nuit. Alors, Nadrin se méfie de toi. Il sait que tu es fort dans ta tête et très très brave. En le dénonçant, tu l'as prouvé encore davantage. Peut-être que Nadrin te craint trop pour se venger… De toute manière, pour l'instant, il ne peut faire de mal à personne. Il arrive parfois que des roufs ne se remettent pas d'une amputation. Déjà qu'il avait une vilaine blessure à l'œil après avoir fait une mauvaise chute chez lui la nuit dernière…

Jacob ne broncha pas en entendant l'explication inventée par Nadrin. Il était surtout touché par l'immense générosité de Grou. Le cadet des roufs avait mis sa vie en péril en l'appuyant. Pourtant, il ne s'en plaignait pas et il ne semblait pas nourrir de regrets. Jacob eut envie de lui manifester sa gratitude, mais comme souvent lorsqu'il était en compagnie de parents ou d'amis et qu'il avait soudain très envie d'exprimer sa reconnaissance ou sa joie, une sorte de gêne le paralysa. Alors, il se contenta d'offrir à Grou un sourire reconnaissant.

Ils étaient assis sur un simple banc devant une table de bois dans la maison de Grou, où Jacob avait l'impression d'être un adulte coincé dans une habitation conçue pour des enfants. Tout y était plus bas, plus petit, plus étroit que dans les maisons des humains. Un bac d'eau et une cuvette de métal étaient disposés sur une planchette à deux pas de la table. Au fond de la pièce, il y avait un lit sur lequel Jacob n'aurait pas pu s'allonger. En arrivant dans la maisonnette, Grou avait aidé Jacob à nourrir Petit Poilu, puis ils l'avaient installé dans ce lit. Le xélou s'était vite endormi, épuisé. Presque aussitôt, il avait commencé à ronfler bruyamment.

— Il est à peine plus gros qu'une boulette de crapoud et il ronfle autant qu'un ogre ! avait remarqué Grou en riant.

C'est Grou qui avait recueilli Petit Poilu après le châtiment de Nadrin. Le pauvre était terrorisé. Grou raconta que Petit Poilu s'était mis à sautiller autour de Jacob évanoui en poussant des cris si perçants qu'un barbu excédé, et sans doute aussi très énervé par ce qu'il venait de voir, l'avait menacé en brandissant un pic. Petit Poilu avait alors poussé un cri de terreur d'une force ahurissante pour une si petite créature.

À côté du lit où ronflait Petit Poilu, quelques crochets étaient installés pour suspendre des vêtements. Il n'y avait pas d'autre espace de rangement. Le lit, la table et le banc constituaient les seuls meubles de la maisonnette de Grou. Les roufs prenaient tous leurs repas en commun, aussi n'avaient-ils pas besoin d'équipement pour préparer des aliments. Avant de s'asseoir, Grou avait retiré ses lourdes chaussures. Jacob avait ainsi découvert que les roufs n'étaient pas seulement petits, costauds, très ridés et barbus, avec une tête coiffée d'étranges oreilles. Ils avaient aussi de larges pieds… sans orteils !

Pendant que Grou racontait ses plus beaux souvenirs de fêtes – chez les roufs, tout prétexte semblait bon pour célébrer –, Jacob continuait de méditer sur leurs nombreux règlements et châtiments.

— Dis, Grou, osa-t-il soudain. Si tous les roufs trouvent les châtiments trop cruels, pourquoi ne les modifiez-vous pas ?

Les petits yeux de Grou s'agrandirent et sa bouche resta ouverte de stupeur. Puis, il éclata d'un rire tout à la fois joyeux, enfantin et espiègle. À croire que Jacob venait de lancer la meilleure blague du monde. Lorsqu'il fut enfin calmé et qu'il comprit que la question de Jacob était bel et bien sérieuse, Grou répondit :

— Une loi, ça ne se change pas, voyons, espèce de tête de galfaga ! Une loi… c'est là depuis toujours. Et pour toujours. C'est comme ça. On n'y peut rien et on n'y pense pas. Voudrais-tu changer le soleil, aussi ? Et tant qu'à y être, ta tête ou tes pieds ?

Grou ne put s'empêcher de s'esclaffer à nouveau en évoquant ces énormités. Jacob ne dit rien. Il venait de découvrir combien ils étaient différents, combien ce qui lui semblait naturel et acquis dans son monde à lui, ne l'était pas ici.

Grou reprit ses récits de fêtes et Jacob profita de l'occasion pour lui poser une question qui lui brûlait les lèvres depuis la première fois qu'il avait entendu ce mot.

— Le crapoud… qu'est-ce que c'est? demanda-t-il.

Le chef en avait promis au retour de la mine, mais il n'y avait pas eu de suite, sans doute parce que les roufs étaient trop secoués par ce qui s'était passé sous terre. Grou expliqua qu'il s'agissait tout à la fois d'un jouet et d'un aliment, ou plutôt d'une gâterie, car le crapoud n'était pas reconnu pour ses valeurs nutritives. Alors que l'hydransie était convoitée par d'autres petits peuples, le crapoud ne semblait apprécié que des roufs. La recette était secrète. Trois femmes seulement, les aînées du groupe, en connaissaient tous les ingrédients. Les roufs savaient seulement qu'elles utilisaient de la pulpe de zioux et des feuilles de chêne séchées dans la préparation. Elles le confectionnaient ensemble, mais seulement lorsque le chef l'autorisait.

Jacob imagina que la consistance du crapoud se situait quelque part entre la pâte non cuite utilisée pour faire des tartes et une sorte de glu bizarre. Selon Grou, le crapoud était élastique et collant. Les roufs s'amusaient avec cette chose un peu comme des enfants avec des boules de neige. Ils s'en lançaient par la tête, s'en écrasaient dans la figure et en faisaient aussi des espèces de galettes volantes. Mais surtout, ils en mangeaient comme des goinfres. Les indigestions de crapoud étaient si fréquentes que le chef était contraint d'en contrôler la consommation.

Après ses histoires de fêtes, Grou entreprit de raconter les plus mémorables disputes entre roufs. Heureusement, les «petites batailles», comme Grou les appelait, étaient autorisées. À condition que personne ne saigne! Souvent, les adversaires se dépêchaient de dissimuler les traces de blessure, car le châtiment pour «bataille grave» était un jeûne si sévère qu'il avait maintes fois entraîné la mort.

Malgré la force évocatrice des histoires de Grou, Jacob finit par tomber endormi, la tête appuyée sur la table. Il rêva qu'il était prisonnier d'une armée de grichepoux qui lui avaient tranché les mains et les pieds. Il gisait, à moitié mort, au pied d'un arbre gigantesque. Soudain, l'arbre se transformait et son parrain apparaissait devant lui. Théodore Jobin lui livrait le secret de sa mission. Son message était clair. Jacob se sentait rempli d'énergie et il était persuadé de pouvoir réussir ce qu'on attendait lui. Puis, son parrain disparaissait. Jacob se découvrait alors atrocement mutilé et les précieuses révélations de son parrain avaient fui sa mémoire.

Cette nuit-là, il rêva également à Youriana. La princesse des fées s'était transformée en une minuscule jeune fille. Jacob la trouva, assise sur une branche de chêne, dans une forêt lumineuse. Dans son dos, des ailes délicates brillaient de toutes les couleurs du ciel, de l'eau et de la terre.

Jacob lui tendit sa main ouverte. Elle voleta jusqu'à lui et vint se poser sur sa paume. Sa longue chevelure de feu coulait en cascade sur ses épaules et dans son dos. Elle porta une main à son cou pour caresser un médaillon accroché à une chaîne. La princesse des fées ouvrit le médaillon, dans lequel une cavité semblait destinée à recevoir une perle ou une pierre. Youriana effleura l'espace vide du bout d'un doigt avant de refermer le bijou.

— Parle-moi, suppliait Jacob en contemplant la petite fée. Parle-moi, je t'en prie. Et ne pars pas. Ne disparais surtout pas.

— Réveille-toi, Jacob ! Tu rêves, répéta Grou en lui secouant l'épaule.

Jacob s'entendit redire à haute voix :

— Ne pars pas. Ne disparais surtout pas…

Puis, il ouvrit les yeux et vit son ami penché au-dessus de lui.

— Tu parlais, lui expliqua Grou. Tu répétais sans arrêt la même chose et tu semblais si… tant… tellement triste que j'ai voulu te réveiller.

Jacob ne lui dit pas qu'il venait de l'arracher à une fée avec qui il entretenait un lien mystérieux. Il ne dit pas non plus à son nouvel ami que, comme chaque fois, la disparition soudaine de Youriana le bouleversait. Cette petite fée qu'il ne connaissait pas, avec qui il n'avait pas encore échangé une seule parole, mais qui le rattrapait partout – dans ses songes, dans ses transes et dans ses lectures comme dans les visions de son œil magique – occupait une place de plus en plus immense dans son cœur et dans son esprit.

Même s'il ne le comprenait pas, Grou devina le trouble de Jacob.

— Tu… tu rêvais à quoi ? osa-t-il demander.

— Je rêvais à Youriana, la future reine des fées, déclara Jacob.

— Tu rêvais à elle ! s'exclama Grou. Chanceux ! La connais-tu ? L'as-tu déjà vue ?

— Non, mentit Jacob. Mais j'en ai entendu parler. Et toi ?

Grou rougit jusqu'au bout des oreilles.

— Moi, j'ai souvent rêvé à elle. Tous les roufs, barbus ou pas, ont rêvé à elle, c'est sûr… Maïra l'a déjà vue. Et quelques autres aussi. Moi, jamais… Mais je renoncerais au crapoud jusqu'à la fin de ma longue existence pour le seul bonheur de la voir et de lui toucher.

— Vraiment ?

— Oui, vraiment, assura Grou. Mais depuis qu'elle a disparu, ni moi, ni aucun rouf, n'avons pu la voir en rêve. C'est comme si elle refusait même de visiter nos songes. Pourquoi ? On ne sait pas. Mais tous les roufs ont peur. Et les elfes aussi, et les ondins, et les gnomes, et les nains, et les lutins, et les lèprechiens… On a peur qu'elle ne revienne jamais et que le royaume caché sombre dans la Grande Obscurité.

— La Grande Obscurité ? reprit Jacob pour encourager Grou à poursuivre.

— Mais oui! Si Youriana ne revient pas, Zarcofo deviendra roi et maître de tout le royaume caché. Et alors, que nous réclamera-t-il encore? Depuis la mort du roi, Zarcofo a haussé ses exigences. Nous lui donnons déjà le meilleur de nous-mêmes…

— Comment? Explique-moi, Grou, l'encouragea Jacob.

— En travaillant dans cette mine d'enfer, quelle affaire! C'est Zarcofo qui nous condamne à nous arracher le dos et les bras en creusant le roc à la recherche de ces damnées pierres bleues. Qu'est-ce qu'on s'en fout, nous! Mais le sorcier Zarcofo est affamé de richesses. C'est comme une maladie atroce. Une monstrueuse folie. À nous, il réclame les pierres de lune, parce qu'on est robuste et aussi parce qu'on habite ces collines qui en sont remplies. Mais il collectionne bien d'autres trésors. Tu ne le savais pas?

Jacob confirma son ignorance d'un signe de tête.

— Aux elfes, il commande des perles de rosée cristallisées, aux nains des ornements complexes en fer forgé sertis de pierreries, aux ondins des espèces très rares de coquillages nacrés venus des plus lointains fonds de mer, aux lutins et aux korrigans des diamants qu'ils doivent voler aux géants de la rivière des chouyas…

— Et que fait le sorcier Zarcofo de tous ces trésors? voulut savoir Jacob.

— Ce qu'il fait? tonna Grou, indigné. Mais rien, sacafou! Rien du tout. Il « thésaurise ». C'est Maïra qui nous a appris ce mot. Ça veut dire qu'il les entasse. C'est tout.

Comprends-tu ? Mais attention ! Zarcofo ne se contente pas de ranger tout ça dans ses grands coffres à trésors. Il élève des dragons pour garder son butin. Maïra dit que c'est un dragonnet qui t'a menacé l'autre nuit. Nous, on n'ose plus lever les yeux au ciel, la nuit, parce qu'on sait que quiconque croise le regard d'un dragonnet est marqué à jamais. Tous les dragons, petits et grands, détestent qu'on les regarde droit dans les yeux. Ils croient qu'on vole ainsi leurs pensées les plus secrètes. Alors ils se vengent…

Jacob sentit son sang bouillonner. Il se souvenait parfaitement d'avoir croisé le regard jaune du dragonnet. Grou ne remarqua pas son émoi. L'évocation du sorcier Zarcofo le faisait tellement enrager que sa voix monta encore d'un cran.

— Les dragonnets parcourent le ciel nocturne pour terroriser les petits peuples et nous enlever toute envie de dormir à la belle étoile, comme on le faisait avant le règne de Zarcofo. Mais les dragons adultes, eux, ne bougent pas. Ils veillent jour et nuit sur les trésors de Zarcofo.

— Qui les convoite ? demanda Jacob.

— Personne ! répondit Grou. Les trésors de Zarcofo sont totalement inutiles. Tout le monde le sait. Sauf que lui, dans sa folie, les juge très très précieux. C'est pour ça qu'il nourrit tant de dragons en les gavant de serpents et de toutes sortes de créatures poilues dont ces grosses bêtes stupides raffolent, mais à défaut, les dragons mangent n'importe quoi. On raconte qu'ils sont capables d'engloutir des chevaux vivants sans même mordre dedans. Ils les avalent tout rond ! Et Zarcofo hypnotise ses dragons avec de menus objets tirés de son butin, si bien que les dragons finissent par aimer jusqu'à l'adoration tous les objets que collectionne Zarcofo. Un dragon se ferait arracher les yeux ou trancher vivant plutôt que de laisser un intrus s'emparer de la plus petite parcelle du trésor du sorcier. Il n'existe pas de gardien plus redoutable, crois-moi. Et encore…

Grou ne termina pas sa phrase. Un immense sourire éclaira son visage, dissipant l'émoi causé par le récit des terribles agissements de Zarcofo. Grou venait d'apercevoir Petit Poilu qui se dirigeait vers eux en sautillant. Sans hésiter, le xélou bondit sur les genoux de Grou, puis se hissa sur ses petites pattes arrière pour lécher le gros nez du barbu. C'était comme si la petite créature avait compris, d'instinct, l'agitation de Grou et voulait l'apaiser.

— Arrête, espèce de smalalalaf! chicanait Grou en riant pour de bon, maintenant.

Il finit par prendre la boule de poils dans ses bras et entreprit de caresser son pelage de ses larges mains. Trop heureux, Petit Poilu se mit à ronronner, un peu à la manière d'un chat, mais si bruyamment que Jacob éclata de rire à son tour.

La nuit était tombée depuis longtemps déjà. Pourtant, Grou n'avait pas encore fermé l'œil. Jacob sentait qu'il avait lui-même encore besoin de dormir, mais quelque chose dans l'atmosphère chaleureuse de cette toute petite maison et dans le climat de franche camaraderie qui l'unissait à Grou, le rendait alerte et lui donnait envie de prolonger ce moment. Jacob avait un peu l'impression de former une famille avec Grou et Petit Poilu.

— C'est l'heure de pique-niquailler ! déclara Grou, enthousiaste.

Jacob reconnut qu'il avait faim et, pendant que Grou extirpait de sous le lit diverses victuailles, il songea que son protégé avait peut-être besoin de se nourrir, lui aussi. Il sortit le flacon et Petit Poilu ingurgita à peu près la même quantité d'hydransie que la fois précédente en léchant la paume de Jacob, puis parut satisfait.

— Alors, alors… commença Grou en s'installant sur le sol avec ses trésors. Qu'est-ce que Grou a réussi à cacher ces derniers temps ? Des zioux, des noix de chêne, des cerisettes séchées et… une petite boulette de crapoud !

Le cadet des roufs déballa ses précieuses victuailles, animé par un plaisir gourmand, et il insista pour que Jacob goûte à tout. Jacob faillit cracher sa demi-boulette de crapoud. C'était parfaitement indigeste. On aurait dit un mélange de vieux sirop pour la toux, très sucré pour camoufler le goût du médicament, et additionné de poivre ou de piment. Grou ne remarqua pas l'ahurissement de son ami tant il était occupé à se délecter. Et pour compléter son plaisir, le rouf demanda à Jacob de lui raconter une balourdise.

— Tu ne sais pas ce que c'est ! s'exclama Grou en découvrant que son ami n'était pas sûr de comprendre.

Le barbu allait se lancer dans une explication lorsqu'ils entendirent un grattement à la porte.

LA FUITE

En entrant, Maïra mit un doigt sur sa bouche pour les inciter à se taire. Elle cueillit Petit Poilu qui manifestait un peu trop bruyamment son bonheur de la revoir, puis s'adressa à Jacob.

— Tu dois partir, annonça-t-elle sans autre préambule.

— Nadrin ? demanda Grou, inquiet.

— Non, répondit Maïra. Bien pire. Zarcofo veut ta tête, Jacob Jobin.

Jacob devint livide.

— Rassure-toi, lui dit-elle. Il ne sait pas qui tu es. Il sait seulement, pour l'avoir lu dans un feu de broussailles d'arbrousie destiné à éveiller l'invisible, qu'un étranger s'est introduit dans le royaume caché. Ne me demande pas comment j'ai appris tout ça. Je le sais. C'est tout.

— Mais… mais… un étranger… ce n'est pas si… tant… rare… objecta Grou.

— Laisse-moi parler, Grou, l'admonesta Maïra. Ne m'interromps plus. Il faut agir vite. Zarcofo est maintenant convaincu qu'un étranger menace son règne dans le royaume caché. Il ne sait pas si l'étranger est poilu, velu ou plumé. Ni s'il a deux, quatre ou six pattes. Mais il sait que l'intrus possède des informations uniques sur la princesse des fées.

Grou ne put réprimer un cri de stupeur. Il se tourna vers Jacob et lut sur son visage que Maïra disait vrai. Alors, sans réfléchir, il se mit à débiter tout ce qui lui venait à l'esprit.

— Mais… c'est atroce… Zarcofo est amoureux de la princesse des fées. Il la veut pour lui, comme un de ses trésors. Tout le monde sait qu'il est responsable de sa disparition. Moi, comme d'autres, j'avais peur qu'il la tienne prisonnière. Mais selon ce que tu viens de dire, Maïra, il semblerait plutôt qu'il la cherche… Ça signifie peut-être que quelqu'un, quelque part, cache Youriana pour la protéger. Ou encore qu'elle s'est enfuie pour échapper au sorcier. Ou… les deux… Ah ! Ce que je donnerais pour au moins savoir si elle est toujours vivante… Le sais-tu, toi, Jacob ?

Jacob ne répondit pas. Ce que venait d'énoncer Grou le rendait furieux. Zarcofo voulait ranger Youriana parmi ses trésors !

Jacob leva les yeux vers Maïra en espérant qu'elle réfuterait les paroles du jeune rouf. Elle hocha plutôt la tête et Jacob lut l'angoisse sur son visage.

— Zarcofo est déchaîné, raconta Maïra. S'il apprend que tu as survécu à l'attaque d'un dragonnet, alors il devinera que c'est toi, le dangereux intrus. Et il te poursuivra jusqu'à ce qu'il t'ait devant lui et qu'il puisse décider lui-même de la torture qu'il compte t'infliger. Retourne dans ton monde, Jacob. Et ne reviens plus jamais ici.

Un silence de plomb suivit la recommandation de Maïra. Grou était effondré et Petit Poilu, qui semblait toujours comprendre d'instinct ce qui se tramait autour de lui, couinait d'une manière pitoyable.

Jacob s'accorda un moment pour assimiler le discours de Maïra. Une foule d'émotions contradictoires se livraient bataille en lui. Il ne disposait d'aucun indice lui permettant de se représenter le sorcier Zarcofo. À quoi ressemblait-il ? D'où venait-il ? De quelle nature était sa puissance ? Toutefois, il n'avait qu'à étudier le visage de Maïra et celui de Grou pour savoir qu'il était redoutable. N'incarnait-il pas la puissance maléfique suprême, qui s'opposait à la grâce et à la bienveillance des fées ? À ces pensées, Jacob voulut fuir. À toute vitesse. D'urgence. Pourtant, malgré l'importance du danger et la peur qui lui grignotait le ventre, il savait qu'il serait incapable de partir. Il était là pour une raison précise. Il devait accomplir une mission. Si seulement il avait pu se souvenir des paroles prononcées par son parrain dans son rêve ! Quand donc apprendrait-il enfin ce qui était attendu de lui ?

— Je n'ai aucune façon de quitter ce monde pour retourner dans celui où j'ai grandi, expliqua-t-il à Maïra. Je voudrais bien me sauver, mais pour aller où ? S'il existe un pont ou un passage entre ce royaume-ci et mon univers, dites-le moi…

Maïra ne répondit rien.

— De toute manière, même si vous m'indiquiez comment rentrer chez moi, je n'irais sans doute pas…

Jacob crut surprendre une lueur de satisfaction dans le regard de Maïra.

— Mais pourquoi ? ! demanda Grou.

— Parce que j'ai une tâche à accomplir, lui confia Jacob. Je ne sais pas encore clairement en quoi elle consiste, mais je sais que j'ai franchi les frontières du royaume caché pour y trouver quelque chose… et… pour ramener cette chose avec moi… Oui… C'est ça…

Encore une fois, Jacob constatait que sa mission se précisait alors même qu'il cherchait les mots pour l'expliquer. Il devait dénicher un trésor. Et le ramener chez lui. Pour sauver Youriana. Pour l'arracher des griffes du coma. Et peut-être aussi pour la protéger de Zarcofo.

Maïra l'observait d'une manière si intense que Jacob voulut détourner son regard. Il s'aperçut alors qu'il en était incapable. Grou assistait à la scène, fasciné. Petit Poilu était aux aguets, les yeux ronds, les oreilles dressées.

Maïra sembla entrer en transe. Elle ferma les yeux, parfaitement immobile, et ses paupières se mirent à battre rapidement. Les contours de sa silhouette s'estompèrent jusqu'à disparaître complètement et il n'y eut plus, à sa place, que des vapeurs lumineuses. On eût dit que Maïra s'était débarrassée de son corps pour mieux laisser parler son esprit.

— Tu dois ramener à Youriana la pierre bleue qui est au cou de Lauriane, sa mère, la reine des fées. C'est un long et dangereux périple qui te mènera au château d'hiver de la reine, loin derrière les montagnes de Tar.

Jacob buvait ces paroles.

— Comment vais-je trouver ma route ? osa-t-il demander.

Maïra poursuivit son discours comme si Jacob ne l'avait pas interrompue.

— Dès que tu seras devant elle, la reine te cédera sans difficulté la précieuse pierre. Le plus dur sera de te rendre au château. N'oublie jamais que ta route est aussi importante que ton but.

Tant de questions se bousculaient aux lèvres de Jacob ! Il ouvrit la bouche pour interroger Maïra, mais renonça aussitôt. Il savait, intuitivement, que rien ne la distrairait de son discours.

— Ne t'inquiète pas du passage d'un univers à l'autre. Cela dépasse ton entendement et ce n'est pas de ton ressort. Sache, c'est le plus important, que c'est toi l'élu, Jacob Jobin. M'entends-tu ? Nul autre ne peut ramener cette pierre à Youriana. Si tu échoues, nous ne reverrons plus jamais la princesse des fées, et Zarcofo étendra sa domination jusqu'à ce que les forces maléfiques gouvernent tout. Trouve la reine et ramène à Youriana la pierre bleue.

Dès que ces dernières paroles furent prononcées, Maïra réapparut sous ses traits habituels, inchangée, mais parfaitement consciente de ce qui venait de se produire.

— Pars, Jacob. Éloigne-toi rapidement de nous. Et méfie-toi de la nuit. Les dragonnets ne doivent pas te repérer. Ils ont encore bien des ressources pour te terroriser. Tu as trop d'ennemis, ici. Lorsqu'il aura vent de l'alerte donnée par Zarcofo, Nadrin fera le lien entre toi et le fameux étranger recherché par le sorcier. Alors, il prendra contact avec ses amis de l'ombre – tout le monde sait que Nadrin communique avec les puissances maléfiques – et il leur transmettra des informations sur toi afin qu'ils les livrent au sorcier.

Petit Poilu s'était approché de Jacob et griffait de ses petites pattes agitées le bas du pantalon de son protecteur. Jacob posa un regard triste sur la petite créature. S'il était en danger, n'était-ce pas irresponsable d'emmener Petit Poilu avec lui? Il prit dans ses bras la petite boule de poils, qui entreprit aussitôt de lui lécher le visage et le cou avec frénésie.

— Que dois-je faire de lui? demanda-t-il à Maïra.

— S'il reste, Nadrin trouvera un moyen de le livrer à ses sombres amis. Les xélous ne sont pas en voie d'extinction par leur faute, ce sont de petites bêtes exquises. S'ils ont obtenu le statut d'espèce protégée par les fées, c'est parce que Zarcofo s'amuse à les livrer vivants à ses gardiens préférés. Nadrin voudra s'emparer du xélou pour en tirer une belle récompense ou encore des gages de protection future. Emmène ton petit protégé avec toi et souhaitons qu'en route, un des siens viendra le récupérer. Les xélous n'oseraient pas s'aventurer jusqu'ici, le terrain est beaucoup trop découvert. Mais dans la forêt, ils tenteront sûrement de reprendre leur bébé.

Jacob réfléchissait à folle allure.

— Bon, d'accord. Et que dois-je faire pour le garder en vie ?

— Ce qui reste dans le flacon d'hydransie suffira. Les xélous savent d'instinct ce dont ils ont besoin. Dans très peu de temps, il se nourrira lui-même de noix et de petits fruits. Tu n'auras plus à t'inquiéter. S'il reste un peu d'hydransie, songe à laisser le flacon sous un buisson d'épilobe. C'est un code établi parmi le petit peuple. Les buissons d'épilobe servent à recueillir les dons des passants pour que rien ne se perde.

— Ah non ! protesta Grou. S'il en reste, je le prends.

Voyant que Jacob et Maïra n'avaient pas encore deviné son plan, Grou annonça :

— Je pars, moi aussi. C'est sûr. C'est tout entendu et compris. Ça ne se discute pas et ça ne se négocie pas. Un point c'est fou… euh… c'est tout.

— C'est à Jacob de décider, décréta Maïra, émue par la passion de Grou. Tu as raison de vouloir partir, Grou, parce que Nadrin te tueras si tu restes ici. Mais l'étranger n'est pas tenu de s'embarrasser de toi.

Jacob posa sur Grou un regard qui en disait long : il était ravi par sa proposition. Il se sentait prêt à s'engager dans ce long périple jusqu'au château d'hiver de la reine des fées et aussi à prendre charge de Petit Poilu, mais l'idée de partir seul le chagrinait. L'amitié de Grou ensoleillait déjà sa vie. Il n'avait pas envie d'y renoncer si vite.

— Ce sera un honneur pour moi d'être assisté par mon ami barbu, déclara Jacob d'une voix solennelle.

— Alors partez immédiatement, les pressa Maïra.

À peine eut-elle fini sa phrase que le gong retentit dans la nuit des collines. Trois fois. Jacob ne le savait pas encore, mais c'était un appel réservé aux ralliements d'urgence chez les roufs.

Grou le tira par le bras :

— Vite, suis-moi. On ne peut plus attendre.

Devant le regard étonné de Jacob, Grou ouvrit une trappe camouflée dans le plancher et y disparut.

LE PASSEUR

Une courte échelle les mena dans un tunnel. Grou farfouilla autour de lui pour trouver une syre dissimulée dans une cavité du mur. Jacob connaissait l'utilité de ces courtes bougies depuis son séjour dans la mine d'arthémise, mais il n'avait jamais vu un rouf en allumer une. À son grand étonnement, Grou souffla sur la mèche et une flamme s'y accrocha aussitôt.

Grou précéda son ami dans un couloir serré au plafond si bas que Jacob devait rester penché alors que Grou marchait librement. Jacob avait éprouvé un certain malaise lorsqu'il était descendu dans la mine d'arthémise en empruntant un passage très étroit. Cette fois, c'était pire. Le tunnel dans lequel ils avançaient ne semblait pas avoir de fin et Jacob se sentait oppressé dans cet espace trop restreint. Petit Poilu s'était réfugié lui-même sous la chemise de Jacob et son cœur battait fort contre la poitrine de son protecteur.

Le silence était presque complet. Jacob percevait seulement de faibles bruits d'eau provenant d'un ruissellement continuel le long des parois. L'air était frais et très humide. La respiration de Petit Poilu devint plus lente et plus profonde et finalement, il s'endormit. Jacob tenta de se concentrer sur son petit protégé. Il aimait sentir cette boule chaude contre sa peau et il lui semblait plus facile de ravaler sa peur en songeant que Petit Poilu était tellement plus fragile et démuni que lui. Jacob se sentait de plus en plus angoissé dans ce tunnel étroit. Il avait parfois de la difficulté à contrôler un sentiment de panique tant il avait l'impression que les murs et le plafond menaçaient de le comprimer.

Jacob continua d'avancer derrière Grou. Leur randonnée sous terre lui semblait interminable. Il avait mal au dos et au cou. Il aurait souhaité oublier la douleur en rêvassant, mais les paroles de Maïra martelaient son cerveau. Trouver la reine. Château d'hiver. Ramener la pierre. La pierre bleue...

Une image s'imposa soudain à Jacob. Une femme penchée vers lui. Un bijou, une toute petite pierre bleue, très brillante, pendait à son cou. La dame bleue ! Celle qui l'avait soigné et qui lui avait confié sa première mission. Celle en qui il avait cru reconnaître Youriana.

C'était la reine. Et maintenant, il devait la retrouver ! Pourquoi ne l'avait-il pas su avant ? Pourquoi ne lui avait-elle pas simplement remis la pierre lorsqu'elle était à son chevet ?

La voix de Grou l'arracha à ses réflexions.

— Recule un peu... Attends...

Jacob fit quelques pas à reculons. Grou appuya ses mains sur le plafond et poussa. Un flot de lumière blanche se répandit dans le tunnel. Le jour avait dû se lever alors qu'ils progressaient sous terre. Grou se hissa sur la pointe des pieds et prit appui sur ses mains, de chaque côté de l'ouverture, pour jeter un coup d'œil à l'extérieur. Il rabattit vivement la plaque dissimulée dans le plafond du tunnel et la lumière disparut.

Grou attendit un peu avant de parler.

— Il se passe quelque chose de grave, admit-il au bout d'un moment. Je ne sais pas quoi… La forêt est trop silencieuse. Les arbres retiennent leur souffle. Mieux vaut continuer d'avancer sans le ciel au-dessus de nos têtes. À découvert, ce serait trop dangereux…

— Qu'y a-t-il? voulut savoir Jacob, accablé à la pensée de devoir rester encore dans ce tunnel.

Grou garda le silence. Dans l'obscurité, Jacob ne pouvait pas distinguer l'expression sur son visage.

— Es-tu mon ami? demanda Grou.

— Oui… Bien sûr, répondit Jacob.

— Alors, tais-toi. Fais-moi confiance et suis-moi, rétorqua Grou en reprenant sa route.

Ils marchèrent encore longtemps. Jacob réclama une pause pour nourrir Petit Poilu, puis ils repartirent. À quelques reprises, le tunnel s'ouvrit sur deux voies et chaque fois, Grou s'arrêta avant de choisir une direction. Jacob ne sentait plus son dos tant il avait mal et il avait les pieds en bouillie. Ils atteignirent finalement ce qui ressemblait à un cul-de-sac. Le plafond s'abaissait pour rejoindre le sol. Grou, qui ouvrait toujours la marche, s'arrêta et pivota pour s'adresser à Jacob.

— Je ne suis jamais allé plus loin, admit-il. Nous avons dépassé les collines des roufs et la petite forêt de Gar. Si je n'ai pas fait d'erreur, nous devrions bientôt atteindre la vallée de la rivière des chouyas. Le tunnel où nous marchons fait partie d'un réseau compliqué de cavernes liées par des couloirs naturels. Il y a très très longtemps, sans doute à l'époque où le soleil venait tout juste de naître, des roufs ont creusé des passages en quelques endroits pour avoir accès à ce réseau souterrain. Les roufs ne connaissent pas tous l'existence de la route secrète des collines. Il n'y a que trois accès dans tout le territoire des roufs, et l'un d'eux est dans ma maison. Le chef, Maïra et l'assemblée des sages m'ont offert cette maison parce qu'ils ont confiance en moi, ajouta Grou fièrement.

« Les roufs n'ont pas de don particulier. Nous ne pouvons ni disparaître comme les nains ni rapetisser suffisamment pour vivre dans les arbres comme les krounis, et nous n'avons pas d'ailes pour nous envoler comme les elfes. Nous n'avons que notre force, qui n'est quand même pas si grande, pour affronter les ennemis. Alors nous profitons de notre petite taille. La route secrète des collines nous permet de nous cacher et aussi d'avancer sans nous faire voir. Mais pour atteindre la rivière des chouyas, il faut franchir la serre du dragon. »

Grou s'arrêta, déglutit, puis inspira profondément avant de continuer.

— C'est un passage assez long et très… réduit. Tu vas devoir m'aider, Jacob, parce que je suis légèrement claustratophobe… euh… claustraphobe… enfin… Tu me comprends, n'est-ce pas ? demanda-t-il avec humeur.

« Claustrophobe », rectifia Jacob silencieusement. Ce que Grou venait de lui révéler le tétanisait. Depuis qu'ils étaient descendus sous le sol, Jacob avait dû mettre à profit tout son sang-froid pour ne pas paniquer. Il n'avait jamais avancé si longtemps dans un espace aussi sombre et aussi exigu. Cette randonnée souterraine était pour lui encore plus exigeante mentalement que physiquement. Il avait remarqué que s'il s'arrêtait et prenait le temps d'étudier son environnement, son cœur sautait quelques battements et il avait l'impression de suffoquer. Il avait alors envie de hurler et de revenir sur ses pas à toute vitesse pour retrouver l'air libre. Mais il savait qu'en criant, il ne ferait qu'alimenter la panique – nourrir le loup, aurait dit Simon-Pierre – et que l'air libre était beaucoup trop loin derrière. Alors, il serrait les mâchoires, se concentrait sur sa respiration, caressait Petit Poilu pour se donner du courage et mettait un pied devant l'autre. Il faisait un pas, puis un autre, et encore…

— Comment veux-tu que je t'aide ? s'enquit Jacob en espérant que les explications de son ami le rassureraient.

— Tu vois le trou où il faut passer ? demanda Grou en se penchant.

Jacob dut s'agenouiller. Il ouvrit la bouche pour crier, mais aucun son n'en sortit. Jamais son corps ne passerait dans cette ouverture !

— Tu es plus grand que moi, Jacob, mais pas beaucoup plus large. Maïra m'a déjà raconté qu'il n'y a qu'une façon de franchir ce passage appelé la serre du dragon. Il faut se coucher sur le sol, à plat ventre, et tourner la tête de côté. Si on regarde droit devant, ça ne passe pas... Après, il faut ramper en poussant avec la paume des mains. Ah oui ! Maïra a aussi mentionné qu'avant, il faut bien expirer pour laisser sortir l'air de nos poumons.

— Pourquoi ? demanda Jacob d'une voix éteinte.

— Pour occuper moins d'espace, répondit Grou en fixant la pointe de ses chaussures.

Jacob eut l'impression qu'un essaim d'abeilles venait de l'attaquer. Ils étaient toujours dans le même espace silencieux, mais il entendait toutes sortes de bourdonnements et de vrombissements et sa gorge était si sèche qu'il craignait de ne plus jamais pouvoir ouvrir la bouche. Malgré tout, il parvint à répéter :

— Tu ne m'as toujours pas dit comment je suis censé t'aider...

— En passant le premier... Maïra m'a expliqué qu'il n'y a pas de carrefour. Le passage est tortueux et très serré mais il mène droit à une vaste galerie. Quand tu auras passé la serre de dragon et que tu auras atteint la galerie, tu m'appelleras. Et je... je viendrai... enfin... j'essaierai.

Grou gardait les yeux rivés sur le sol. Il était mort de peur. Et il avait honte d'avoir si peur. Jacob lui en voulut de l'avoir guidé jusque-là pour ensuite se défiler et exiger de lui un tel exploit. Le barbu ne comprenait-il pas qu'il n'avait pas l'habitude, lui, de se balader dans l'obscurité et de ramper dans des tunnels souterrains? Il ne passait pas sa vie dans les mines et en plus, il était plus grand, ce qui rendait l'expédition doublement pénible.

— Si j'avance le premier, je vais paniquer, expliqua Grou. Je le sais… Et quand on panique… on se tortille et on augmente les chances de rester pris. Maïra dit que des roufs ont déjà découvert le cadavre d'un des leurs coincé dans la serre du dragon, les os blanchis par le temps et l'attaque des rongeurs.

— Et tu préférerais que ce soit moi? le fustigea Jacob.

— Ou… Ouiii, admit Grou. Enfin… Je veux dire… J'ai confidence… euh… j'ai confiance en toi.

— Ah bon! Et pourquoi? demanda Jacob avec amertume.

— Mais parce que tu as été choisi! répondit le barbu sur le ton de celui qui juge la question un peu ridicule.

— Que veux-tu dire?

La voix de Grou changea. Elle se fit plus grave, plus profonde.

— Maïra t'en a parlé… Elle t'a expliqué que c'est toi, l'élu. D'ailleurs, tout au fond de toi, tu le sais très bien, Jacob Jobin.

Jacob secoua la tête en signe de négation, mais son regard le trahissait. Grou avait raison : au fond de lui, il savait. Depuis longtemps.

— Tu as survécu à l'apparition d'un dragonnet. N'importe quel rouf serait mort de peur ! Tu as aussi été désigné pour accomplir une mission. Tu dois sauver la princesse des fées ! Penses-y, l'étranger. C'est… grandiose ! Et ce n'est pas tout… Tu as été choisi par les fées. Comprends-tu ? Tous les humains qui nous fréquentent de près ou de loin en rêvent. Et sais-tu combien d'humains sont choisis par les fées dans tout un de vos millénaires ? Un ou deux… Pas plus. D'autres humains sont *admis* dans notre monde. Mais ils ne sont pas *choisis*.

Petit Poilu s'était éveillé, alerté par de grands remous dans le corps de son protecteur. Jacob le sortit de sous sa chemise et le déposa sur le sol, mais au lieu de sautiller tout autour, Petit Poilu resta collé contre Jacob, la tête appuyée sur sa jambe.

Jacob fixait Grou d'un regard si intense que ce dernier baissa à nouveau les yeux.

— Tu sais des choses que je ne sais pas, Grou. Si tu veux que j'avance, si tu es mon ami, dis-moi tout. Dis-moi ce que je risque et ce qui m'attend, le pressa Jacob.

Grou tortillait sa barbe nerveusement. Il prit quelques brins de longs poils blancs et façonna une longue tresse, qu'il défit ensuite avec des gestes lents comme pour gagner du temps. Au terme de l'opération, il se lança :

— J'en sais peu, se défendit-il. Et Maïra m'a conseillé d'attendre au dernier moment pour t'en dire davantage. Mais nous sommes peut-être arrivés à ce point. C'est une longue histoire, Jacob. Et nous avons trop peu de temps. Alors, ne pose pas de questions, contente-toi, pour l'instant, de ce que je vais te raconter. Nous devons avancer, m'entends-tu? Et tu dois m'aider. Sinon, il faudra revenir sur nos pas et retourner dans ma maison. Mais alors, tu ne vivras même pas assez longtemps pour voir le jour se lever une autre fois. Et moi non plus…

« Il y a bientôt cent saisons, le roi des elfes est mort, tué par une flèche empoisonnée. Il fallait un puissant venin pour arracher la vie au roi. La flèche qui a transpercé sa poitrine portait la marque de Zarcofo : un dragon dessiné sur la pointe du projectile. Or tout cela avait été prédit depuis bien avant le règne du dernier roi par un grand magicien, le plus grand de tous : Mérival, l'illustre ancêtre de Merlin. Les récits de Mérival se transmettent depuis la nuit des temps d'une génération à l'autre parmi tous les peuples du royaume caché. Dans ces récits, on raconte qu'une suite de malheurs frappera le pays des nains, des elfes, des roufs, des lutins et de tous les autres petits êtres féeriques.

« Tout débutera avec la mort du roi, récita Grou de mémoire. À partir de cet instant, l'équilibre du pouvoir entre les puissances lumineuses et celles des ténèbres sera menacé. Une grave malédiction touchera ensuite la fille du souverain. Elle sombrera dans un sommeil proche de la mort dont elle ne pourra être libérée que par l'assistance d'un humain choisi. Le sort des fées et des humains a toujours été intimement lié…

« Si l'humain échoue dans sa mission, le jour du centième anniversaire de la mort du roi, la reine mourra à son tour et le sorcier Zarcofo règnera sur le royaume de féerie pour les saisons à venir. Il s'ensuivra un règne de noirceur et de cruauté si féroce que nul ne peut imaginer l'étendue des horreurs qui surviendront. »

Petit Poilu serrait la jambe de Jacob de ses courtes pattes en roulant des yeux apeurés comme s'il avait tout compris. Jacob restait coi. Les paroles du barbu s'insinuaient lentement en lui. Il n'avait pas encore eu le temps d'apprivoiser ce que lui avait confié Maïra. Il avait vaguement compris qu'il avait un rôle à jouer et que ce rôle avait une certaine importance dans les grands enjeux qui secouaient le royaume caché. Voilà que Grou lui révélait maintenant qu'il était le héros d'un récit fondateur raconté par l'ancêtre de Merlin, celui-là même qui était surnommé l'enchanteur dans *La grande encyclopédie des fées* et qui était, selon Théodore Jobin, l'être le plus merveilleux et le plus puissant à avoir jamais existé. Et lui, Jacob Jobin, était le héros sur qui reposait l'avenir, non pas d'un, mais de plusieurs peuples qui risquaient l'anéantissement. C'est lui, Jacob Jobin, qui était chargé de les secourir en ressuscitant Youriana, la princesse des fées et future souveraine, gardienne des forces lumineuses.

Un puissant vertige secoua Jacob. Il eut l'impression de perdre pied. Il aurait voulu tenir une manette dans sa main et appuyer sur une touche pour mettre fin au jeu. S'étendre sur son lit dans la maison familiale et dormir jusqu'à ce que sa sœur ou sa mère vienne lui annoncer que le repas était servi. Ses pensées fusaient en tous sens. Soudain, sans qu'il sache trop pourquoi, une phrase de Simon-Pierre lui revint. Une phrase que lui répétait souvent son frère à l'époque de leurs grandes conquêtes dans des forêts qu'ils imaginaient enchantées.

— Chevalier, commençait Simon-Pierre, la voix gonflée d'importance, en appuyant l'extrémité d'une branche qui lui tenait lieu d'épée sur l'épaule de son jeune frère. Rappelle-toi que tout est possible. À condition d'avoir…

Sur quoi Jacob était tenu de répondre :

— La foi, votre majesté.

Cette foi avait tenu en vie pendant qu'un monstre ailé tentait de le terroriser. Cette foi, Simon-Pierre en avait manqué, lui qui semblait pourtant en posséder de si vastes réserves.

Jacob s'entendit répéter sur un ton solennel dans le silence de ce réduit souterrain :

— La foi, votre majesté.

— Que dis-tu ? Que se passe-t-il ? Es-tu malade ? s'inquiéta Grou.

Jacob émergea de sa torpeur.

— Non. Tu as dit que nous devions faire vite, Grou, alors allons-y. J'accepte de passer en premier. Mais tu devras te charger de Petit Poilu. S'il m'arrive quelque chose, tu dois me promettre de t'occuper de lui. Sais-tu pendant combien de temps je devrai ramper avant d'atteindre la galerie ?

Grou secoua la tête de manière négative.

— Alors, écoute-moi. Dès que j'y serai, je vais crier pour que tu me rejoignes. Tu pousseras Petit Poilu devant toi. Il ne doit absolument pas rester seul derrière, compris ? Si jamais, après un temps que tu jugeras assez long, tu ne m'entends pas, alors tu devras choisir d'avancer ou de reculer. Je ne pourrai pas décider pour toi. Sache toutefois que si tu ne m'entends pas, ça ne signifie pas nécessairement que je suis coincé dans le passage, prisonnier des serres du dragon. Ça pourrait aussi être parce que le tunnel enterre ma voix.

Grou était livide. Il trouva quand même la force d'acquiescer d'un signe de tête. Jacob se pencha alors pour s'introduire dans la serre du dragon, mais au dernier moment, il se releva et pressa Grou puis Petit Poilu contre lui avant de disparaître dans le sombre orifice.

LA SERRE DU DRAGON

Au début, Jacob avança dans un état second. Il ne pouvait plus ni tourner ni relever sa tête. Ventre contre terre, les bras repliés et ramenés de chaque côté du corps, il appuyait sur ses paumes pour se propulser légèrement vers l'avant en se râpant la joue droite et l'oreille gauche à chaque mouvement. Il aurait été beaucoup plus facile d'avancer en poussant aussi à l'aide de ses pieds, mais il aurait eu besoin pour ce faire de quelques centimètres de jeu… qu'il n'avait pas.

Jacob parvint à endiguer le sentiment de terreur qui à tout moment menaçait d'exploser dans son ventre en se concentrant parfaitement sur les mouvements à effectuer. Lentement, au prix d'efforts inouïs, il réussit à avancer sur une distance qu'il évalua à environ dix fois la longueur de son corps. Soudain, une vague de panique le submergea. Il venait de découvrir qu'il n'avançait plus. Il avait beau presser ses paumes contre le sol, son corps restait immobile. Ses épaules étaient coincées dans un étau et il n'arrivait même plus à glisser ses coudes vers l'arrière pour se tortiller vers l'avant. D'instinct, il voulut regarder devant lui et, sans réfléchir, il tenta un brusque mouvement de tête. Une douleur cuisante lui rappela qu'il était prisonnier de sa position et un filet de sang tiède mouilla sa tempe.

Il voulut crier. Même si c'était ridicule, même si ça ne servait à rien. Il avait besoin de hurler sa terreur, de l'expulser hors de lui, mais sa poitrine était trop comprimée pour qu'il parvienne à émettre le moindre son. Les paroles de Simon-Pierre et leurs promesses lui revenaient encore, mais elles n'étaient plus que des enveloppes de mots, sans signification.

La foi. Le mot flottait dans sa tête. À quoi sert la foi lorsqu'on est prisonnier, sans aucun recours, incapable du moindre petit remuement et sans ennemi contre qui se battre ? Une fatigue sans nom assaillit Jacob. Il avait l'impression d'avoir quitté la vieille maison de son parrain des siècles plus tôt. Il se sentait brisé, exténué.

Jacob crut qu'il allait sombrer dans la folie tant sa panique était envahissante. Le sang cognait à ses tempes et sa respiration était haletante. Toutefois, un espoir fragile perça soudain en lui. Il se rappela ses premiers pas dans ce royaume caché. La forêt trop dense, tous ces arbres immenses qui l'étouffaient. Il avait avancé malgré tout et les arbres avaient reculé. Alors, mû par cette faible espérance, il inspira lentement, dilatant peu à peu ses poumons en songeant amèrement qu'il n'avait pas à craindre de rester coincé : il l'était déjà. Puis, il banda et gonfla ses muscles, se détendit et recommença.

Il avait follement espéré qu'avec sa seule volonté, il parviendrait à élargir les parois du tunnel, mais rien ne bougeait autour de lui. En lui, toutefois, se déployaient de grands mouvements, comme si tous ses organes et aussi ses muscles, ses tendons, ses os se liguaient pour lutter contre cette serre de dragon. Un vaste brouhaha s'organisait dans son corps. Même si cette activité ne modifiait pas l'espace qui lui était consenti, il avait l'impression de mener une action réelle, concrète. Il répéta le même manège plusieurs fois, emplissant ses poumons d'air jusqu'à écraser sa cage thoracique, tout en jouant des muscles et en fouettant tout ce qu'il avait de forces vives enfouies au fond de lui.

Jacob continua de remplir et vider ses poumons et de solliciter puis de relaxer ses muscles. Entre chaque effort, il s'accordait quelques secondes de répit, au cours desquelles son corps, pétri de fatigue, s'amollissait tant qu'il avait l'impression de se liquéfier. Et puis soudain, comme par miracle, il découvrit que ses épaules bougeaient un peu. Il n'était plus totalement coincé. Alors il pressa ses paumes contre le sol avec une ardeur décuplée, constata qu'il parvenait maintenant à glisser légèrement ses coudes vers l'arrière et avança de quelques centimètres.

Après, tout se déroula très rapidement. Il répéta les mêmes gestes fiévreusement, sans se soucier de sa joue ensanglantée, de sa blessure à la tempe et de la déchirure à son oreille. Il continua sa progression comme si des fauves le poursuivaient, mû par le violent désir d'échapper aux serres redoutables. Puis, d'un coup, le sol se déroba sous lui et il bascula dans le vide.

L'atterrissage fut brutal. Jacob se releva en grimaçant et prit le temps de s'assurer que tous ses membres étaient en place et bougeaient normalement. Il en serait quitte pour de bons bleus. La bouche du tunnel d'où il était tombé se situait à environ quatre mètres du sol. Il avait échoué dans une vaste galerie, moins sombre que le passage qu'il venait de traverser. Jacob mit ses mains en porte-voix et hurla :

— C'est bon, Grou ! Viens !

Il n'avait aucune manière de savoir si son compagnon l'entendait. Alors il continua de répéter son appel en gardant les yeux rivés sur l'accès au tunnel.

Une tête apparut finalement. Petit Poilu ! Jacob sentit une grande paix l'envahir. Son petit protégé était là. Sain et sauf. Jacob s'attendait à ce que Petit Poilu veuille sauter dans ses bras. Au lieu, il resta au bord de l'ouverture et se mit à couiner d'une manière désespérée.

— Grou ! M'entends-tu ? cria Jacob, alerté.

« Grou peut très bien m'entendre sans toutefois être capable de répondre, réfléchit Jacob. Si Grou est coincé, comme moi tout à l'heure, il est peut-être incapable d'émettre un son. » Jacob songea encore que son ami était un peu moins large d'épaule que lui et que ses bras étaient plus courts, ce qui l'avantageait. Mais les roufs avaient une grosse tête. « Aussi grosse que la mienne », calcula Jacob. Et Grou souffrait de claustrophobie. Arrivé là où Jacob avait failli resté pris, si Grou s'affolait, il risquait fort d'être fait prisonnier.

Petit Poilu disparaissait souvent dans le tunnel pour revenir presque aussitôt en poussant des cris alarmants. Il voulait attirer Jacob. Et Jacob devinait pourquoi.

Jacob prit le temps d'évaluer la situation. Il s'était habitué à l'obscurité pendant qu'ils progressaient dans le tunnel faiblement éclairé par la syre de Grou. Ainsi, malgré le peu de lumière dans la galerie, Jacob pouvait assez bien repérer les lieux où il avait atterri. La galerie était haute comme trois maisons et encore bien plus vaste. Une route était sculptée dans la paroi du fond. En suivant du regard ce sentier vertigineux, Jacob découvrit qu'il menait à une trouée dans le roc. Un autre tunnel ? Ou peut-être un passage aménagé par de petits êtres qui avaient hâte de revoir le ciel au-dessus de leur tête.

C'est exactement ce que souhaitait Jacob : retrouver le ciel au-dessus de sa tête. Mais il ne pouvait pas laisser Grou derrière. Il devait retourner dans le tunnel.

La première pensée de Jacob fut pour les quelques mètres qui le séparaient de l'entrée du tunnel. Il n'y avait rien dont il puisse se servir pour accéder à cette ouverture où piaillait Petit Poilu.

Jacob s'approcha de la paroi. Petit Poilu se calma aussitôt. Pourtant, Jacob avait beau se torturer les méninges, il n'arrivait pas à trouver comment il pourrait grimper jusque-là. Avec peu d'espoir de réponse, il se remit à hurler :

— Grou ! M'entends-tu ?

L'écho du cri de Jacob se répercuta sinistrement dans la galerie. Découragé, Jacob appuya son front contre le mur devant lui. En pressant ses paumes meurtries contre la paroi, il fut surpris de constater qu'il y laissait son empreinte. Il tenta aussitôt de creuser des marches avec ses mains et constata que c'était possible. Il poursuivit patiemment sa tâche et utilisa ces premières marches pour se hisser d'un mètre, recommença le stratagème, se hissa à nouveau, tomba, se releva, grimpa et recommença jusqu'à ce qu'il puisse enfin appuyer ses mains au bord du tunnel où Petit Poilu l'accueillit avec une débauche de coups de langue affectueux.

Jacob allait se glisser dans le passage et se diriger vers Grou à la suite de Petit Poilu, mais au dernier moment, il s'arrêta. Il venait de ressentir, dans son ventre, malgré la distance et avec une acuité féroce, la grande détresse de Grou. Son ami était en danger. Jacob vacilla, ébranlé par la force de ce qu'il éprouvait. Il se reprit juste à temps et s'agrippa à deux mains au bord du tunnel.

Mû par son instinct, Jacob cueillit Petit Poilu d'un seul bras, prit un court instant pour enfouir son nez dans le pelage, puis laissa tomber son protégé sur le sol de la vaste galerie, où la petite boule de poils atterrit sans mal. Alors, sans même se retourner pour revoir Petit Poilu, Jacob se faufila dans l'étroit passage où il avait eu si peur.

Il perçut presque immédiatement une faible plainte. Jacob crut sage de ne pas essayer de crier pour se faire entendre alors qu'il n'était pas en position de le faire. Toutefois, dans l'espoir de signaler à Grou qu'il n'était plus seul dans ce piège du dragon, il émit quelques sons qui n'exigeaient pas trop d'effort avant de continuer sa lente progression. Il perçut encore quelques gémissements éparpillés dans un long silence; puis, plus rien.

Jacob s'occupait entièrement à répéter méticuleusement les mêmes gestes sans laisser aucune émotion l'atteindre. Pousser du plat des mains, se hisser un peu plus loin devant, ramener les mains, presser…

Un cri rauque jaillit de sa gorge. Ses doigts venaient de rencontrer quelque chose. Des cheveux… Oui… Une véritable pagaille de poils et sous la folle toison, une tête.

Grou! Jacob comprit qu'il venait d'atteindre le pire goulot d'étranglement, là où il était lui-même resté coincé. Là où il avait cru que sa mission prenait fin. Grou y était prisonnier, comme il l'avait craint, et il suffirait d'un mouvement malhabile pour que Jacob lui-même reste bloqué à nouveau.

— Grou… mon ami… murmura Jacob.

Il ne perçut aucun mouvement et le silence demeura aussi insupportable. Alors Jacob étira un bras. Une terreur sourde lui mordait le ventre.

— Grou… mon ami… montre-moi… que tu es… vivant.

Rien. Jacob attendit. Un faible cri déchira le silence. Le son venait de sa bouche à lui. Il n'y en eut plus d'autre. Alors, au prix d'efforts douloureux, en jouant de la tête pour gagner quelques centimètres, il étira un bras jusqu'à ce que ses doigts effleurent un front moite, la pente d'un nez… Jacob pressa le bout de ses doigts contre une narine.

Rien. D'effroi, Jacob tenta de reculer, mais sa tête et ses épaules étaient coincés. Cette fois, au lieu d'être terrorisé par ce qu'il découvrait, une grande rage explosa en lui et lui permit de reculer en broyant os et muscles et en se lacérant la peau. Jacob n'éprouvait aucune douleur. Une énergie nourrie de révolte l'électrisait. De sa main qui avait effleuré le visage de Grou, il accrocha une masse de cheveux qu'il tira de toutes ses forces en espérant encore pouvoir libérer son camarade. Quelque chose céda en Jacob lorsqu'il sentit une poignée de cheveux se détacher du crâne.

Grou était mort. Jacob avait perdu son ami. En un éclair, il saisit la générosité de son compagnon. Grou avait demandé à Jacob de passer devant pour éviter ainsi de bloquer le passage au cas où il resterait pris. Il savait qu'il risquait de paniquer et de ne pas survivre à cette épreuve. Il s'était déjà rendu jusqu'à la serre du dragon, sans la franchir. Il savait… Le cadet des roufs était sans doute mort étouffé en se tortillant, le souffle coupé par la serre du dragon. Jacob avait entendu ses derniers gémissements alors qu'il n'arrivait plus à puiser l'air raréfié autour de lui.

Plus tard, Jacob n'eut aucun souvenir de son expédition à reculons. Il se rappela seulement avoir finalement senti le vide sous ses pieds et être descendu dans la galerie en empruntant les marches qu'il s'était taillées.

Petit Poilu ne l'accueillit pas. Il resta prostré, le dos appuyé au mur près de l'escalier de fortune. Il n'eut même pas un regard pour Jacob. Il ne lui en voulait pas de l'avoir arraché au tunnel pour le forcer à atterrir dans cette galerie. Non. Petit Poilu était effondré parce qu'il savait qu'il ne reverrait plus jamais Grou.

LA CAVALCADE

Jacob ne sut jamais combien d'heures il avait dormi et peut-être ne se serait-il jamais réveillé si Petit Poilu n'avait entrepris de lui lécher les paupières. Dès que lui revint le souvenir des derniers événements, Jacob tenta de basculer à nouveau dans l'univers des songes, mais Petit Poilu reprit son manège à coups de langue entêtés pour forcer son protecteur à garder les yeux ouverts.

Avec des gestes d'une infinie lenteur, Jacob fouilla dans sa poche, songeant que c'était un miracle que le flacon d'hydransie y soit encore. Il versa quelques gouttes dans la paume de sa main, laissa Petit Poilu laper tout ce qu'il lui offrait, versa encore un peu de liquide et attendit que la petite créature soit rassasiée. C'est en observant Petit Poilu que Jacob prit conscience de l'état dans lequel il était. La fatigue et peut-être surtout la tristesse l'accablaient à tel point qu'il avait du mal à réfléchir. Ses pensées s'embrouillaient sans cesse, puis s'éparpillaient dans l'espace autour de lui. Il remarqua aussi qu'il grelottait et que ses mains comme le bout de son nez étaient glacés.

Lui revinrent alors des bribes d'un cours de premiers soins offert par son professeur d'éducation physique, Étienne Lucas, un grand blond fendant qui ne manquait jamais une occasion de souligner le peu de talent de Jacob dans tous les sports d'équipe… Oui… Lucas… Dans son cours de premiers soins… Il avait parlé de déshydratation grave et d'hypothermie. Et les symptômes…

Jacob se rendormit. Petit Poilu mordit dans le tissu du pantalon de son protecteur et tira de toutes ses forces. Jacob ouvrit finalement les yeux et, forcé par Petit Poilu, accepta de se mettre debout. Il ramassa le flacon d'hydransie presque vide abandonné sur le sol et le glissa, non pas dans la poche où il l'avait prise, mais dans l'autre, simplement parce qu'elle était plus près de sa main et que le moindre geste prenait des dimensions épiques.

Ses doigts effleurèrent un objet au fond de sa poche. Pourtant, il ne se souvenait pas d'y avoir rangé quoi que ce soit. Jacob retira l'objet en forme de cylindre.

C'était un petit rouleau de papier, long comme la main, noué par une cordelette. Jacob la défit et découvrit une «Carte du royaume caché». Les inscriptions en lettres dorées étaient clairement déchiffrables malgré le peu de lumière. Une foule de lieux y étaient identifiés : la forêt des grichepoux, le cercle des fées, les collines des roufs, les montagnes de Tar, la rivière des chouyas et bien d'autres encore. Mais aux yeux de Jacob, aucun de ces endroits n'avait d'importance. Son regard courait tout naturellement vers un lieu marqué d'une croix au sommet de la carte : le château d'hiver de la reine des fées.

«Tu dois ramener… la pierre bleue… au cou de… la reine des fées. C'est un long et dangereux périple… loin derrière les montagnes de Tar», avait déclaré Maïra.

Jacob tremblait. Il avait l'impression de tenir un trésor. Il avait enfin quelque chose de concret entre les mains. Une carte pour le guider. Il n'était plus un chevalier errant engagé dans une quête obscure. Il était celui qui avait pour mission de traverser les territoires esquissés sur cette carte afin d'atteindre le château d'hiver où la reine des fées s'était réfugiée. Il reviendrait de sa mission avec une pierre bleue aux propriétés secrètes. Une pierre qui arracherait Youriana, la princesse fée de tous ses rêves et de tous ses espoirs, à son trop profond sommeil. Après, il ne la quitterait plus jamais.

Il revit, comme s'il y était, Youriana étendue sur les draps pâles. Grou était mort, maintenant, mais Youriana vivait toujours.

Un son aigu le sortit de ces méditations. Petit Poilu l'appelait. Il avait traversé la galerie et entrepris d'escalader le mur du fond en empruntant le sentier taillé dans la paroi. En levant la tête pour évaluer le chemin à parcourir, Jacob jugea l'entreprise suicidaire. Il allait à coup sûr s'écraser sur le sol avant d'atteindre le sommet.

Il traversa pourtant la galerie et amorça l'ascension en prenant appui d'une main sur le mur et en gardant les yeux rivés sur le sentier. Une fois seulement, arrivé à mi-hauteur, il ne put empêcher son regard de glisser vers le sol. Il fut pris d'un tel vertige qu'il dut s'aplatir contre la paroi, ses doigts griffant la surface glaiseuse dans un effort surhumain pour empêcher son corps de basculer dans le vide. Il resta ainsi immobile jusqu'à ce que son cœur cesse de vouloir défoncer sa poitrine, avant de remettre précautionneusement un pied devant l'autre.

Il atteignit Petit Poilu dans un état hypnotique attribuable autant à son extrême faiblesse qu'à la frayeur qui l'avait tourmenté tout au long de cette dernière épreuve. Arrivé au sommet du mur de la galerie, il accéda à un couloir, creusé dans la paroi, suffisamment haut et large pour qu'il puisse y avancer sans difficulté. Un peu plus loin, le couloir s'élargit encore et s'ouvrit sur deux bras. Jacob s'arrêta. Il n'avait aucune raison de privilégier une direction plutôt qu'une autre. Or, étrangement, Petit Poilu semblait savoir où aller. La petite créature sautillait sur place avec l'air de dire qu'aucune de ces directions n'était la bonne.

Jacob revit Grou poussant une plaque camouflée dans le plafond. Sans trop d'espoir, il se hissa sur la pointe des pieds, tendit les bras, poussa sur le plafond en déployant le peu de force qui lui restait et fut surpris de constater qu'une trappe y était effectivement dissimulée. Une ouverture vers le ciel. Enfin ! Jacob parvint à l'ouvrir, fit passer Petit Poilu en premier, puis se hissa hors du tunnel souterrain.

Une lumière vive, beaucoup plus brillante que celle du pays des roufs, le heurta de plein fouet. Jacob se couvrit aussitôt le visage de ses deux mains. C'était comme si on lui avait lancé une poignée d'aiguilles dans les yeux. Il mit du temps à s'habituer au soleil après tant d'obscurité. Lorsqu'il put enfin garder les paupières ouvertes, il vit d'abord ses mains meurtries, puis son pantalon déchiré et ses souliers tellement usés qu'il manquait du cuir au bout.

Jacob pivota lentement sur lui-même pour contempler le paysage. D'un côté, il vit une mer de hautes montagnes très abruptes, hérissée de pics noirs, hostiles. De l'autre, il découvrit une vallée herbeuse joliment fleurie menant en pente douce jusqu'à une rivière. Comment hésiter ? Ce devait être la rivière des chouyas dont Grou lui avait parlé. Il fallait descendre lentement jusque-là. Oui. S'il en trouvait la force. Petit Poilu roulait déjà dans l'herbe en poussant des cris joyeux.

Un son cristallin attira l'attention de Jacob. Il se laissa guider par ce bruit et parvint à un ruisseau tout près. Il avait besoin de se désaltérer avant d'amorcer la marche jusqu'à la rivière. Jacob s'allongea à plat ventre et plongea la tête dans l'eau. Il but longtemps avec l'impression de renaître.

En se relevant, il découvrit un troupeau de chèvres qui broutaient l'herbe derrière quelques buissons. Une des bêtes posa sur Jacob un regard gris. Les autres l'ignorèrent, tout à leur occupation de se nourrir. Jacob aperçut d'autres troupeaux plus loin, et encore d'autres, jusqu'au pied des montagnes de Tar. Des centaines de bêtes paissaient tranquillement. C'était un spectacle apaisant. Pourtant, Jacob ne se sentait pas rassuré. Sans doute avait-il traversé trop d'épreuves pour profiter du paysage bucolique.

Petit Poilu l'avait rejoint et semblait incapable de rester en place. Il sautillait, couinait, courait un peu, puis revenait comme s'il tentait d'avertir son compagnon. Jacob lui ébouriffa la tête.

— Calme-toi, petite bête. Tout va mieux, maintenant.

Jacob promena son regard sur les prés fleuris, les chèvres, le ruisseau, les pentes herbues jusqu'à la rivière, mais il n'eut pas le loisir de s'abandonner davantage à la contemplation du tableau. Petit Poilu avait entrepris de gratter le bas de son pantalon, bien décidé à l'entraîner ailleurs.

— Bon, d'accord, je viens… On va trouver à manger, maintenant. C'est ça qui te tracasse ? Tu as faim ?

Jacob ne ressentait pas la faim, mais son ventre était secoué de spasmes lui confirmant qu'il avait besoin de s'alimenter. Il amorça la descente vers la rivière en songeant à Grou. Puis à Simon-Pierre. À ceux qui ne survivraient plus que dans sa mémoire.

Il n'avait pas encore fait cinquante pas lorsqu'un tumulte envahit la prairie. C'était comme un orage infernal descendu des montagnes. Jacob ne vit d'abord qu'un gigantesque nuage de poussière. Petit Poilu revint vers lui pour se réfugier dans ses bras, ce qui parut à Jacob de bien mauvais augure tant la petite créature savait reconnaître les dangers.

Soudain, une énorme tête de taureau aux naseaux fumants émergea du brouillard de poussière, suivie d'une multitude d'autres têtes trouées des mêmes yeux gris, exorbités, haineux. Les sabots martelaient furieusement le sol et se mêlaient au souffle des bêtes pour créer un sinistre vacarme.

Jacob évalua rapidement que les montagnes derrière lui constituaient son unique abri. Mais le troupeau avançait trop vite pour qu'il songe même à courir s'y réfugier.

« Je suis perdu. C'est fini. » Ces deux courtes phrases résonnaient dans la tête de Jacob lorsqu'une bête de la taille d'un cheval surgit de nulle part. Sa longue robe marron était tachetée de crème, ses hautes pattes robustes, ses yeux d'un brun liquide…

— Fandor! s'écria Jacob en reconnaissant son ami dans cette bête surdimensionnée.

L'animal poursuivit sa chevauchée jusqu'à Jacob pendant que le troupeau menaçait de les rattraper. Arrivé à la hauteur du jeune homme, Fandor s'abaissa pour lui permettre de monter sur son dos. Au moment de reprendre sa course, la brave bête poussa un hennissement douloureux. Le premier taureau venait de l'encorner au flanc. Fandor ne faiblit pas sous l'assaut. Au lieu, il accéléra et Jacob découvrit que sa monture était encore plus rapide que les taureaux enragés.

Combien d'heures chevauchèrent-ils ainsi, Petit Poilu collé contre la poitrine de Jacob et Jacob agrippé à la crinière de sa monture? Quelle distance avaient-ils parcourue lorsque Jacob commença à se sentir plus léger, moins présent, un peu comme s'il se dissolvait dans l'espace? Jacob eut conscience de la transformation. Et il devinait ce qui était en train de se produire.

Il eut une pensée pour Éloi. Son ami lui avait raconté comment il avait été initié à la plongée sous-marine lors d'un de ses nombreux voyages en compagnie de ses parents. Tous les plongeurs partaient avec une réserve d'air. Quand la réserve était trop basse, quand ils avaient utilisé presque tout l'oxygène dans leur bonbonne, ils remontaient.

C'est ce qui lui arrivait. Il le sentait. Il commençait à lui manquer de cette énergie particulière qu'il avait puisée il ne savait où et qui lui avait permis de basculer dans l'autre monde.

L'enchantement se terminait.

Tout à coup, il fut ailleurs.

LE RETOUR

Il crut d'abord reconnaître Maïra. Ce sourire bienveillant, ce regard empreint de bonté...

C'était Léonie.

— Tout va bien, murmurait-elle en caressant doucement son front.

Les paroles de Léonie flottaient autour de Jacob sans l'atteindre. Il se souvenait parfaitement de tout. Les grichepoux, Petit Poilu, la dame bleue, les roufs, Grou, le dragonnet, la serre du dragon, l'armée de taureaux...

Un début de panique l'étreignit. Il était de retour au manoir. Au chaud, en sécurité, à l'abri. Il n'aurait plus faim, plus peur, plus mal. Il pourrait bientôt rentrer chez lui et retrouver le Grand Vide Bleu.

Non. NOOOON !!!!

Ce n'était plus ce qu'il souhaitait. Il avait changé. Il n'était plus le même. Il était chargé de mission. Il était l'élu, celui qui avait été choisi.

Jacob plongea fébrilement une main dans sa poche. Rien.

Il fouilla dans l'autre…

Des larmes roulaient doucement sur ses joues.

Sa main avait rencontré un petit cylindre de papier. La carte du royaume !

Il n'avait pas rêvé.

— Chuut…. Tu peux dormir, maintenant, c'est fini, chuchota Léonie.

Jacob lui offrit un sourire fatigué, mais empreint de lumière.

— Non… souffla-t-il. Ça ne fait que commencer.

REMERCIEMENTS

J'aimerais remercier chaleureusement mes précieux lecteurs : Linda Clermont, Diane Desruisseaux, Marilou Douzois-Prévost, Céline Faucher, Maggie Gagnon, Martine Giroux, France Laferrière, Jeanne Laroche, Daviel Lazure-Vieira, Martine Ménard, Juliette Robin, Frédéric Truchon, Fanny Villeneuve, Gabriel Villeneuve et Raymond Villeneuve.

Sans oublier l'équipe de Québec Amérique, qui m'a encore une fois merveilleusement accompagnée et soutenue dans ce projet. Je pense en particulier à Anne-Marie Villeneuve, précieuse éditrice, et à Anne-Marie Fortin, adjointe à la production et à l'édition.

Merci également aux autres membres de l'équipe qui ont collaboré à ce projet : Gabrielle Aubin, Louis Beaudoin, Rita Biscotti, Anouschka Bouchard, Geneviève Brière, Normand de Bellefeuille, Sandrine Donkers, Isabelle Longpré et Carla Menza.